THEODORE BOONE

John GRISHAM

THEODORE BOONE

Coupable ?

Traduit de l'anglais (États-Unis)
par Emmanuel PAILLER

roman

Titre Original : *The Accused*
© 2012 by Boone & Boone LLC
© XO Éditions, 2012, pour la traduction française
ISBN : 978-2-84563-609-5

1.

L'accusé était un riche individu du nom de Pete Duffy. Il était inculpé de meurtre. Selon la police et le procureur, Mr. Duffy avait étranglé sa superbe femme dans leur jolie maison située près d'un parcours de golf. L'accusé y jouait ce jour-là, seul. S'il était reconnu coupable, il passerait le restant de ses jours en prison. S'il était acquitté, il sortirait libre du tribunal. Mais le jury ne le déclara ni coupable ni non coupable.

C'était le second procès de Duffy. Quatre mois plus tôt, le premier s'était subitement arrêté au moment où le juge Henry Gantry avait décidé qu'il était impossible de continuer. Il avait déclaré un vice de procédure et renvoyé tout le monde, y compris Pete Duffy, qui restait en liberté sous caution. Dans la plupart des affaires de meurtre, l'accusé n'a pas les moyens de payer sa caution pour éviter la prison en attendant son procès. Mais, puisque Mr. Duffy avait de l'argent et de bons avocats, il était libre comme l'air alors que la police avait trouvé le corps de sa femme et que l'État l'accusait de l'avoir tuée. On voyait Mr. Duffy en ville – en train de dîner dans ses restaurants préférés, d'assister à des matchs de basket à Stratten College, de se rendre à la messe (plus souvent qu'avant), et, bien sûr, de s'adonner au golf. Avant son premier procès, Mr. Duffy ne semblait pas inquiet d'affronter la justice ni de risquer la prison. Mais à l'approche de la seconde audience, avec un nouveau témoin pour l'accusation, on disait Pete Duffy très préoccupé.

Ce nouveau témoin oculaire s'appelait Bobby Escobar. C'était un immigré en situation irrégulière de dix-neuf ans, qui travaillait sur le parcours de golf le jour où Mrs. Duffy avait été tuée. Il avait vu Mr. Duffy entrer chez lui à peu près au moment du meurtre, puis sortir en vitesse pour reprendre sa partie de golf. Pour de nombreuses raisons, Bobby n'avait pas osé se faire connaître pendant le premier procès. Après avoir entendu son récit, le juge Gantry avait déclaré un vice de procédure. Désormais, Bobby était prêt à témoigner et de nombreux habitants de Strattenburg, qui avaient suivi l'affaire Duffy de près, s'attendaient à ce qu'il soit condamné. Il était presque impossible de trouver quelqu'un qui croyait à son innocence.

Il était tout aussi difficile de trouver quelqu'un qui ne voulait pas assister à l'audience. Les procès pour meurtre étaient peu courants à Strattenburg – en fait, le meurtre était chose rare dans le comté –

et une foule importante commença à se réunir dès 8 heures du matin, juste après l'ouverture du tribunal. Le jury avait été sélectionné trois jours plus tôt.

Il était temps que le rideau se lève.

À 8 h 40, Mr. Mount réussit à obtenir le calme pour faire l'appel de sa classe de quatrième. Les seize garçons étaient tous présents. Le rassemblement ne dura que dix minutes avant que les élèves n'aillent à leur premier cours d'espagnol, avec Mme Monique.

Mr. Mount était pressé.

— Bon, messieurs, vous savez qu'aujourd'hui, c'est le premier jour du procès de Pete Duffy, deuxième round. Vous avez eu la permission d'assister au premier jour du premier procès, mais, comme vous le savez, on m'a refusé l'autorisation de vous emmener au second.

Il y eut quelques huées et sifflements. Mr. Mount leva les mains.

— Ça suffit. Cependant, notre estimée principale, Mrs. Gladwell, a autorisé Theo à assister à l'ouverture du procès pour nous le raconter ensuite. Theo ?

Theodore Boone se leva d'un bond, à la manière des avocats qu'il observait avec admiration, et se dirigea vers le tableau d'un pas volontaire. Il portait un bloc-notes jaune, comme un véritable avocat. Il s'arrêta à côté du bureau de Mr. Mount, marqua une pause d'une seconde, et contempla la classe tel un professionnel prêt à s'adresser au jury.

Ses deux parents étant avocats, il avait pratiquement grandi dans leur cabinet et traînait dans les salles d'audience tandis que les autres collégiens de Strattenburg faisaient du sport, prenaient des cours de guitare ou se livraient aux activités habituelles d'adolescents normaux ; comme Theo adorait le droit, l'étudiait, en observait les règles et ne parlait guère que de cela, le reste de la classe s'en remettait facilement à lui pour les questions juridiques. Dans ce domaine, Theo était imbattable, en tout cas dans la classe de Mr. Mount.

— Eh bien, nous avons assisté à la première audience du premier procès il y a quatre mois, commença Theo, donc vous connaissez les joueurs. Les avocats sont les mêmes. L'inculpation aussi. Mr. Duffy est toujours Mr. Duffy. Cette fois-ci, le jury sera différent et, bien sûr, il se posera la question du nouveau témoin oculaire qui ne s'est pas exprimé au premier procès.

— Coupable ! hurla Woody du fond de la salle.

D'autres élèves firent chorus.

— D'accord, reprit Theo. Ceux qui pensent que Pete Duffy est coupable, levez la main.

Quatorze mains sur seize se levèrent aussitôt, sans la moindre hésitation. Chase Whipple, un scientifique fou qui mettait un point d'honneur à ne jamais être d'accord avec la majorité, resta les bras croisés.

Theo ne vota pas, mais s'agaça aussitôt :

— C'est ridicule ! Comment pouvez-vous voter coupable alors que le procès n'a pas commencé, que nous ignorons ce que les témoins vont dire et avant qu'on sache quoi que ce soit ? Nous avons parlé de la présomption d'innocence. Dans notre système, un accusé est présumé innocent jusqu'à preuve de sa culpabilité. Ce matin, Pete Duffy entrera dans le tribunal complètement innocent, et il le restera jusqu'à ce que tous les témoins soient passés à la barre et que les preuves soient exposées au jury. La présomption d'innocence, vous vous rappelez ?

Dans un coin, Mr. Mount observait Theo. Comme bien souvent, Theo était en grande forme. Ce jeune était naturellement doué, c'était la star de l'équipe des débats de quatrième, dont Mr. Mount était le conseiller pédagogique.

Theo insista, feignant toujours l'indignation devant le jugement précipité de ses camarades.

— Et la preuve au-delà de tout doute raisonnable, vous vous rappelez ? Qu'est-ce que vous avez, les gars ?

— Coupable ! hurla de nouveau Woody, soulevant quelques rires.

Theo savait que c'était une cause perdue.

— C'est bon, c'est bon, je peux y aller, maintenant ?

— Bien sûr, répondit Mr. Mount.

La sonnerie retentit et les seize garçons se dirigèrent vers la porte. Theo fonça dans le couloir

11

jusqu'au bureau d'accueil où Miss Gloria, la secrétaire du collège, était au téléphone. Elle aimait
bien Theo parce que sa mère s'était occupée de
son premier divorce, et parce qu'une fois, Theo
lui avait soufflé quelques conseils pour son frère,
arrêté pour conduite en état d'ivresse. Miss Gloria
tendit à Theo son formulaire de sortie, signé par
Mrs. Gladwell, et il partit. L'horloge au-dessus du
bureau marquait 8 h 47 précises.

Dehors, Theo détacha son vélo garé près du mât
du drapeau, enroula son antivol au guidon et fila.
En respectant le code de la route et en restant sur
la route, il arriverait devant le tribunal en quinze
minutes. Mais, en prenant ses raccourcis habituels,
en traversant quelques ruelles et arrière-cours
par-ci par-là, et en grillant au moins deux stops,
Theo pouvait faire le trajet en dix minutes. Ce jour-
là, il n'avait pas de temps à perdre. Il savait que
la salle d'audience était déjà pleine à craquer. Il
aurait de la chance s'il pouvait trouver un siège.

Il s'engouffra à toute allure dans une ruelle,
décollant à deux reprises, puis traversa en flèche
l'arrière-cour d'un homme qu'il connaissait, un
individu désagréable qui portait un uniforme et
jouait les agents de police alors qu'il n'était guère
plus qu'un vigile à temps partiel. Il s'appelait Buck
Boland (ou Buck Bla-Bla, comme les gens le chu-
chotaient dans son dos), et Theo le voyait de
temps en temps traîner au tribunal. Tandis qu'il
franchissait sa cour en coup de vent, Theo entendit
une voix furieuse crier : « Fiche le camp, gamin ! »

12

Il vira à gauche juste à temps pour apercevoir Mr. Boland lui jeter une pierre. Elle le manqua d'un cheveu, et Theo pédala de plus belle.

Ce n'était vraiment pas passé loin. Theo se dit qu'il devrait peut-être se trouver un autre itinéraire.

Neuf minutes après avoir quitté le collège, Theo s'arrêta devant le tribunal du comté de Stratten, attacha rapidement son vélo et fila à l'intérieur, gravissant quatre à quatre l'escalier monumental pour arriver devant les portes massives de la salle du juge Gantry. Une foule s'y pressait : des spectateurs faisant la queue pour entrer, des caméras de télé avec leurs projecteurs, et plusieurs huissiers au visage fermé, qui tentaient de maintenir l'ordre. L'huissier que Theo aimait le moins de tout Strattenburg était un vieil homme grincheux du nom de Gossett et, bien sûr, ce fut lui qui repéra Theo en train de se glisser dans la cohue.

— Où tu vas comme ça, Theo ? grogna Gossett.

« Ça me paraît évident, pensa Theo. Où est-ce que je pourrais aller en ce moment, à l'ouverture du plus grand procès pour meurtre de l'histoire de notre comté ? » Mais il se tut ; cela ne l'avancerait en rien de jouer les petits malins.

Theo exhiba le formulaire de sortie de son collège et déclara d'un ton mielleux :

— Ma principale m'a donné la permission d'assister au procès, monsieur.

Gossett lui arracha le formulaire, qu'il regarda d'un air furieux, comme s'il allait abattre Theo au cas où l'autorisation était insuffisante. Theo faillit ajouter : « Si vous voulez un coup de main, je peux vous le lire », mais là encore, il se mordit la langue.

— Ça vient du collège, déclara Gossett. Ce n'est pas une autorisation pour entrer dans la salle. Tu as la permission du juge Gantry ?

— Oui, monsieur.

— Montre-la-moi.

— Elle n'est pas écrite. Le juge Gantry m'a autorisé oralement à assister au procès.

Gossett se renfrogna de plus belle, secoua la tête d'un air de grande autorité, et assena enfin :

— Désolé, Theo. La salle d'audience est pleine. Il n'y a plus de places assises. On refuse du monde.

Theo reprit son papier et parut près de fondre en larmes. Il recula, fit demi-tour et remonta le long couloir. Dès qu'il fut hors de vue de Gossett, il ouvrit une petite porte et dévala un escalier de service, utilisé par les hommes d'entretien et les techniciens. Arrivé au rez-de-chaussée, il se glissa dans un couloir sombre et étroit qui passait sous la grande salle d'audience, puis entra nonchalamment dans une salle de pause où les employés du tribunal se retrouvaient pour bavarder autour d'un café et de beignets.

— Tiens, bonjour, Theo, dit l'adorable Jenny, de loin la greffière préférée de Theo au tribunal.

— Bonjour, Jenny, répondit Theo en souriant, mais sans s'arrêter.

Il disparut dans une sorte de placard et arriva sur un palier de l'autre côté, qui débouchait sur un autre escalier dérobé. Au cours des décennies passées, il avait servi à transférer des condamnés de la prison jusqu'à la salle d'audience, pour y affronter le courroux des juges, mais, à présent, il n'était plus beaucoup utilisé. L'ancien tribunal était un dédale de petits corridors et d'escaliers tortueux, et Theo les connaissait tous.

Il pénétra dans la salle d'audience par une petite porte, à côté du banc du jury. L'endroit bourdonnait du bavardage nerveux des spectateurs qui attendaient d'assister à ce spectacle dramatique. Des gardiens en uniforme tournaient en rond, discutant entre eux d'un air important. Une foule de gens se pressait encore à la porte. Du côté gauche, au troisième rang derrière le banc de la défense, Theo aperçut un visage familier.

C'était son oncle, Ike, qui avait réservé un siège pour son neveu préféré (et unique). Theo se faufila vivement dans la rangée et se glissa à côté d'Ike.

2.

Ike Boone avait été avocat. En fait, il avait partagé les mêmes bureaux que les parents de Theo. Une association houleuse que les trois Boone avaient supportée jusqu'au jour où Ike était passé du mauvais côté de la loi et s'était attiré des ennuis. De gros ennuis. Tellement d'ennuis qu'il avait été radié du barreau de l'État. Désormais, Ike travaillait comme comptable et conseiller fiscal de plusieurs petites entreprises de Strattenburg. Il n'avait pas vraiment de famille et, de manière générale, c'était un vieil homme malheureux. Il aimait se considérer comme un solitaire, un marginal, un rebelle qui s'habillait comme un vieux hippie et nouait ses longs cheveux blancs en queue-de-cheval. Ce jour-là, il portait sa tenue classique : de vieilles sandales sans chaussettes, un jean délavé et un T-shirt rouge sous une veste de sport à carreaux aux manches effrangées.

— Merci, Ike, chuchota Theo en s'installant.

Ike sourit sans rien dire. Il se trouvait à droite de Theo. À sa gauche était assise une femme d'âge mûr, séduisante, que Theo n'avait jamais vue. En regardant autour de lui, Theo remarqua plusieurs avocats assis dans le public. Ses propres parents prétendaient avoir bien trop de travail pour perdre du temps à assister au procès, mais Theo savait qu'ils y portaient un vif intérêt. Sa mère était spécialisée dans les divorces ; très réputée, elle avait beaucoup de clients. Le père de Theo, lui, s'occupait de transactions immobilières et ne se rendait jamais au tribunal. Theo était persuadé de devenir un jour un grand pénaliste, loin des divorces et de l'immobilier. Sinon, il deviendrait un grand juge comme son copain Henry Gantry. Il n'arrivait pas à se décider, mais il avait bien du temps devant lui. Il n'avait que treize ans.

Le banc du jury était vide. Comme Theo avait assisté à bien des procès, il savait que les jurés ne seraient pas conduits dans la salle avant que tout le monde ne soit installé. Une grande horloge carrée trônait au-dessus du bureau du juge. À 8 h 59, les procureurs firent leur apparition par une porte latérale, arborant comme d'habitude un air important. Ils étaient emmenés par Jack Hogan, un vétéran qui traquait les criminels de Strattenburg depuis de nombreuses années. Lors du premier procès, quatre mois plus tôt, le talent de Mr. Hogan avait fait grande impression sur Theo et, pendant plusieurs semaines, il avait pensé devenir procureur, l'homme vers lequel toute la ville se tournait quand un crime horrible était perpétré. Mr. Hogan était entouré de plusieurs adjoints et enquêteurs. Ensemble, ils formaient une équipe redoutable.

De l'autre côté, le banc de la défense était déserté – il n'y avait pas le moindre membre de l'équipe Duffy en vue. Cependant, juste derrière, au premier rang, Theo aperçut Omar Cheepe et son acolyte, Paco, deux truands engagés par la défense pour enquêter et semer le trouble. À mesure que l'heure tournait et que la foule s'installait, il semblait étrange, du moins pour Theo, que la moitié des avocats seulement soient présents et prêts. Le juge Gantry aimait l'exactitude. Voyant que rien ne se passait à 9 heures précises, le public se mit à observer l'horloge – 9 h 05, puis 9 h 10. Enfin, à 9 h 15, la défense entra et s'assit, sous la houlette de Clifford Nance, un avocat pénaliste de renom qui, pour l'instant, semblait pâle et hésitant. Il se pencha vers Cheepe et Paco pour discuter à voix basse. Visiblement, quelque chose ne tournait pas rond.

Il n'y avait aucun signe de Pete Duffy, qui aurait dû se trouver là, assis à côté de Clifford Nance.

Soudain, Omar Cheepe et Paco quittèrent la salle.

À 9 h 20, un huissier se leva et cria :

— La cour !

À ces mots, le juge Henry Gantry fit son entrée, sa robe noire flottant derrière lui. L'huissier poursuivit :

— Oyez, oyez, la cour du dixième district est désormais en session, sous la présidence de l'honorable Henry Gantry. Que tous ceux qui ont affaire s'avancent. Que Dieu bénisse la cour.

— Veuillez vous asseoir, dit le juge Gantry, et la foule, encore en train de se lever, retomba aussitôt sur son siège.

Le juge Gantry jeta un coup d'œil furieux à Clifford Nance et prit une profonde inspiration. Toutes les têtes suivirent son regard, et Mr. Nance pâlit de plus belle. Le juge Gantry demanda enfin :

— Monsieur Nance, où est l'accusé Peter Duffy ?

Clifford Nance se leva lentement. Il s'éclaircit la gorge et, quand il prit enfin la parole, sa belle voix semblait éteinte et éraillée :

— Je l'ignore, Votre Honneur. Mr. Duffy devait passer à mon bureau ce matin à 7 heures pour une réunion préparatoire au procès, mais il ne s'est pas présenté. Il n'a ni appelé, ni faxé, ni envoyé d'e-mail ou de texto à moi ou à aucune personne de mon équipe. Nous avons appelé ses numéros de téléphone à de nombreuses reprises. Sans résultat. Nous nous sommes rendus chez lui : il n'y a personne. Nous le recherchons actuellement, mais il semble avoir disparu.

Comme tout le monde dans la salle, Theo n'en croyait pas ses oreilles. Un adjoint se leva.

— Votre Honneur, si je peux...

— Je vous écoute, dit le juge Gantry.

— Nous n'étions pas au courant. Si on nous en avait informés plus tôt, nous aurions pu commencer les recherches.

— Eh bien, commencez-les tout de suite, répondit le juge Gantry avec irritation, manifestement furieux de l'absence de Pete Duffy.

Il donna un coup de marteau et ajouta :

— La séance est levée pour une heure. Veuillez dire aux jurés de retourner dans leur salle et de s'y mettre à l'aise.

Là-dessus, le juge Gantry disparut par une porte derrière son bureau.

L'espace d'un instant, le public resta stupéfait, incrédule, comme si Pete Duffy allait entrer d'une seconde à l'autre si on continuait simplement à l'attendre. Il y eut des chuchotements, de légers bavardages, puis des mouvements ; certains se levèrent et restèrent plantés là, hésitants. Personne ne partit, cependant, de peur de perdre sa place. Pete Duffy allait forcément arriver d'ici un instant, s'excuser d'être en retard en prétextant une crevaison, par exemple, et le procès reprendrait.

Dix minutes s'écoulèrent. Theo vit les avocats se diriger lentement vers le centre de la pièce et discuter à voix basse. Jack Hogan et Clifford Nance étaient penchés l'un vers l'autre comme s'ils comparaient leurs notes, l'air grave.

— Qu'est-ce que tu en penses, Ike ? murmura Theo.

— On dirait bien qu'il a filé.

— Qu'est-ce que ça veut dire ?

— Ça veut dire beaucoup de choses. Duffy a engagé certains biens immobiliers pour payer sa caution et garantir qu'il se présenterait au tribunal. Ces biens seront donc saisis et il les perdra. Bien sûr, s'il a effectivement filé, il ne s'inquiétera pas trop des biens qu'il a ici, parce qu'il passera le reste de sa vie en cavale. Ce sera un fugitif jusqu'à ce qu'on l'attrape.

— Et on l'attrapera ?

— C'est ce qui se passe, en général. Il y aura sa photo partout, sur Internet, sur les affiches de recherche à la poste et dans tous les commissariats du pays. Ce sera donc difficile pour lui, mais il existe quelques cas célèbres de fugitifs qui n'ont jamais été repris. Le plus souvent, ils quittent le pays et vont en Amérique du Sud, par exemple. Je suis surpris. Je ne pensais pas que Pete Duffy aurait le cran de s'enfuir.

— Le cran ?

— Bien sûr. Réfléchis, Theo : ce type a tué sa femme et a eu la chance que son premier procès se termine sur un vice de procédure. Il savait que ça ne se reproduirait pas, et qu'il risquait donc de passer sa vie en prison. Moi, je préférerais courir le risque de m'enfuir. Il a probablement enterré de l'argent quelque part. Il s'est trouvé de nouveaux papiers, un nouveau nom, peut-être un copain pour l'aider. Connaissant Duffy, il a sans doute entraîné une jeune femme dans ses histoires. C'est rudement malin, si tu veux mon avis.

Dans la bouche d'Ike, on aurait dit une véritable aventure, mais Theo n'en était pas si sûr. L'aiguille de l'horloge approchait de 10 heures. Il regarda le siège vide, celui où l'accusé était censé s'asseoir. Il avait du mal à croire que Pete Duffy se soit enfui malgré sa caution, qu'il ait quitté la ville et s'apprêtât à mener la vie d'un fugitif.

Omar Cheepe et Paco réapparurent. Ils se dirigèrent vers Clifford Nance. À en juger par leurs signes de tête, leurs chuchotements insistants et leur regard dur, la situation ne s'était pas améliorée. Pete Duffy restait introuvable.

Un huissier rassembla les avocats et les conduisit dans le cabinet du juge Gantry, pour une nouvelle réunion. Plusieurs adjoints plaisantaient près du box des jurés. La rumeur montait, le public s'agitait, agacé.

— Ça devient ennuyeux, Theo, dit Ike.

Quelques personnes avaient quitté la salle.

— Je vais peut-être rester un peu, répondit Theo.

Sinon, il lui faudrait retourner au collège les mains vides, et subir les cours. Le papier de la principale indiquait clairement qu'il était excusé jusqu'à 13 heures, et Theo n'avait aucune envie de revenir avant, procès ou pas procès.

— Tu passes me voir cet après-midi ? demanda Ike.

On était lundi, et les rituels de la famille Boone exigeaient de Theo qu'il passe au bureau d'Ike tous les lundis après-midi pour lui rendre visite.

— Bien sûr, dit Theo.

— À tout à l'heure, alors, lança Ike en souriant.

Après son départ, Theo examina les avantages et les inconvénients de la situation. Il était déçu que le plus grand procès criminel de l'histoire récente de Strattenburg ait manifestement déraillé, et qu'il n'ait pas l'occasion de voir Jack Hogan et Clifford Nance s'affronter tels deux gladiateurs. Mais il était également soulagé que Bobby Escobar ne soit pas forcé de témoigner et d'incriminer Pete Duffy. Theo avait joué un grand rôle en présentant Bobby au juge Gantry lors du premier procès. Il savait aussi que les avocats et les acolytes de Duffy, en particulier Omar Cheepe et Paco, le tenaient à l'œil. Theo préférait éviter d'attirer leur attention.

En fait, tandis que l'horloge tournait et que le public patientait, Theo décida que la disparition soudaine de Pete Duffy était une bonne chose, du moins pour lui. Il en éprouva une satisfaction égoïste.

Derrière lui, deux hommes se disputaient à voix basse, à propos de la caution de Duffy. Le premier disait :

— Je te parie que Gantry va se faire remonter les bretelles pour ça. S'il avait refusé la liberté sous caution à Duffy, l'autre aurait été enfermé jusqu'à son procès, comme tous les accusés de meurtre. Dans une affaire de meurtre, personne n'est libéré sous caution. Gantry a cédé parce que Duffy a de l'argent.

L'autre répondait :

— J'en doute. Pourquoi ne pas permettre à un accusé de sortir sous caution ? Il est innocent jusqu'à ce qu'il soit reconnu coupable, non ? Pourquoi enfermer un type avant qu'il soit condamné – que ce soit pour un meurtre ou autre chose ? On ne peut pas punir quelqu'un juste parce qu'il a de l'argent. La caution de Duffy était de un million de dollars. Il a engagé certains de ses biens et personne n'y a trouvé à redire... enfin, jusqu'à aujourd'hui.

Theo était plutôt d'accord avec le second. Le premier répondit :

— Jusqu'à aujourd'hui ? C'est bien toute la question. La caution est censée garantir sa présence au procès. Et tu sais quoi ? Il n'y est pas. Parti sans permission, il s'est envolé, il a fait le mur, on ne le reverra jamais, parce que Gantry lui a accordé la liberté sous caution.

— On va le retrouver.

— Je parie que non. Il est sans doute quelque part à Mexico en ce moment, en train de se faire refaire le portrait par des chirurgiens esthétiques qui s'enrichissent en modifiant les yeux et le nez des barons de la drogue. Je te parie qu'on ne retrouvera jamais Pete Duffy.

— Je te parie vingt dollars que d'ici un mois, il sera de retour en prison.

— Vingt dollars, pari tenu.

Il y eut une agitation soudaine et les huissiers se mirent au garde-à-vous. Les avocats sortirent à la queue leu leu du cabinet du juge Gantry et reprirent leur place. Les spectateurs se turent et regagnèrent leurs sièges en vitesse.

— Restez assis, aboya un huissier.

Le juge Gantry se réinstalla à son bureau. Il donna un grand coup de marteau et déclara :

— Silence. Veuillez faire entrer le jury.

Il était 11 heures. Les jurés allèrent s'asseoir à leur place. Ensuite, le juge Gantry demanda sévèrement à Clifford Nance :

— Monsieur Nance, où est l'accusé ?

Nance se leva lentement et répondit :

— Votre Honneur, je l'ignore. Nous n'avons eu aucun contact avec Mr. Duffy depuis hier soir 22 h 30.

Le juge Gantry se tourna vers le procureur.

— Monsieur Hogan ?

— Votre Honneur, nous n'avons pas d'autre choix que de plaider un vice de procédure.

— Et je n'ai pas d'autre choix que de le reconnaître.

Le juge Gantry s'adressa alors au jury :

— Mesdames et messieurs, il semble que l'accusé, Mr. Duffy, ait disparu. Il était en liberté sous caution, dans l'attente de son procès, et il a manifestement disparu. Le shérif procède actuellement à des recherches et le signalement a été transmis au FBI. En l'absence de l'accusé, nous ne pouvons poursuivre cette audience. Je vous présente mes excuses pour ce dérangement, et, une fois encore, je vous remercie de vos services. Vous pouvez partir.

L'un des jurés leva la main d'un air hésitant et demanda :

— Mais, monsieur le juge, et s'ils le retrouvent cet après-midi, ou demain ?

Le juge Gantry sembla étonné de cette question venue du jury.

— Eh bien, cela dépendra de la façon dont il sera retrouvé, je pense. Si on l'attrape à la frontière, en train d'essayer de fuir le pays en cachette, il sera ramené ici avec des chefs d'inculpation supplémentaires. Ce qui modifierait certainement sa stratégie de défense, et il aurait donc droit à un délai. En revanche, si on le retrouve dans la région et qu'il a une excuse valable pour ne pas s'être présenté ce matin, alors, j'annulerai sa liberté sous caution, je l'enverrai en prison et rouvrirai le procès dès que possible.

La réponse satisfit le juré, tout comme Theo.

— La séance est levée, déclara le juge sur un nouveau coup de marteau.

Theo attendit et attendit encore. Il sortit enfin lorsqu'un huissier éteignit les lumières. Il n'avait d'autre endroit où aller que le collège, et il s'y rendit à vélo. À deux rues du tribunal, une Jeep Cherokee noire s'arrêta à côté de Theo. La vitre descendit du côté passager, et Paco passa son visage bronzé par l'ouverture. Il sourit sans dire un mot.

Theo freina et le véhicule continua sa route. Pourquoi donc le suivaient-ils ?

Inquiet, Theo décida de couper par une arrière-cour. Alors qu'il regardait par-dessus son épaule, un gros homme se planta devant lui et saisit son vélo par le guidon.

— Hé, petit ! gronda-t-il en faisant face à Theo.

C'était Buck Bla-Bla, crachant le feu et prêt au combat.

— Ne reviens plus dans ma cour, OK ? grogna-t-il, sans lâcher le guidon.

— D'accord, d'accord, désolé, répondit Theo, craignant une gifle.

— Comment tu t'appelles ? siffla Buck.

— Theodore Boone. Lâchez mon vélo.

Buck arborait un uniforme mal taillé et bon marché avec les mots ALL-PRO SECURITY cousus sur les manches. Et un assez gros pistolet à la ceinture.

— Tu ne passes plus par ma cour, tu comprends ?

— J'ai compris, dit Theo.

Buck le lâcha, et Theo fila sans se faire tirer dessus. Tout à coup, l'idée de revenir au collège, à l'abri dans sa salle de classe, l'enthousiasmait.

3.

Theo alla rendre son papier à l'accueil. Ses camarades étaient en cours de chimie, leur quatrième heure, et Theo voulait éviter d'arriver en retard. Il se dirigea vers le minuscule bureau de Mr. Mount, au fond du couloir après sa salle. La porte était ouverte et, heureusement, Mr. Mount était là, en train de manger un sandwich en regardant les nouvelles locales sur son ordinateur portable.

— Assieds-toi, dit-il à Theo, qui prit la seule autre chaise dans le bureau.

— Vous devez être au courant, alors, commença Theo.

— Oh, oui. Les nouvelles ne parlent que de ça.

Mr. Mount tourna un peu son ordinateur pour que Theo puisse mieux voir. Le shérif parlait à un groupe de journalistes. Il disait n'avoir vu aucune trace de Mr. Duffy. Ils avaient fouillé chez lui et n'avaient rien trouvé. Ses deux véhicules, une berline Mercedes et un 4 × 4 Ford, étaient au garage, verrouillés. Manifestement, Mr. Duffy avait joué au golf seul dimanche en fin d'après-midi. Un caddy l'avait vu quitter le parcours dans sa voiturette, se dirigeant vers sa propriété sur le sixième fairway – son itinéraire habituel, selon l'employé. Dimanche soir, à 22 h 30, Pete Duffy avait téléphoné à Clifford Nance et, d'après l'avocat, avait pris rendez-vous avec son équipe à 7 heures le lendemain matin, pour une longue séance de préparation.

Pete Duffy vivait à trois kilomètres à l'est de la ville, dans un lotissement assez récent nommé Waverly Creek, un site résidentiel haut de gamme bâti autour de trois parcours de golf et destiné à offrir une grande intimité à ses résidents. Les entrées et sorties étaient contrôlées jour et nuit par des gardiens postés aux grilles, avec des caméras qui surveillaient tout. Le shérif était certain que Pete Duffy n'avait pas quitté Waverly Creek pendant la nuit en passant par l'une des sorties. « Il y a aussi des chemins qui entrent et sortent du site, et j'imagine que c'est par là qu'il est passé », supposait le shérif. Visiblement, les journalistes l'agaçaient.

Le shérif ajouta qu'il ignorait pour l'instant comment Pete Duffy s'était enfui. À pied, à vélo, en scooter, en voiture, en camion ou en voiturette de golf... il n'était pas en mesure de le déterminer. Cependant, si Duffy possédait un scooter, une moto ou tout autre type de véhicule exigeant une immatriculation, il n'y en avait aucune trace.

En réponse à toutes sortes de questions ineptes, le shérif expliqua que 1) rien n'indiquait l'implication d'un complice dans la fuite de Duffy ; 2) il n'y avait aucune lettre d'adieu, au cas où il aurait sauté d'un pont ou accompli un autre geste tragique ; 3) rien ne laissait penser qu'il y avait eu des violences, si un intrus, pour une raison inconnue, avait voulu éliminer Duffy la nuit précédant le procès ; et 4), pour l'instant, la police n'avait trouvé aucun témoin ayant aperçu Duffy, après le caddy qui l'avait vu partir avec ses clubs de golf.

Le shérif finit par en avoir assez et s'éclipsa. La caméra revint en studio, où deux présentateurs se lancèrent dans une paraphrase verbeuse du peu que le shérif venait de leur apprendre.

— Alors, où est-il ? demanda Mr. Mount.

— J'ai du mal à croire qu'il soit parti à pied dans les bois au milieu de la nuit, dit Theo. Quelle est votre théorie ?

— Un complice. Duffy n'est pas du genre à aimer les grands espaces, ce n'est pas un homme qui connaît la forêt et les règles de la survie. Je parie qu'il est sorti en cachette de chez lui après minuit, une fois ses voisins endormis à poings fermés, qu'il a pris une bicyclette parce qu'il ne voulait pas faire de bruit, et qu'il a fait deux ou trois kilomètres jusqu'à l'endroit où son complice l'attendait. Ils ont mis le vélo dans le coffre de la voiture, ou sur le plateau de la camionnette, et les voilà partis. Duffy ne devait pas se présenter au tribunal avant 9 heures, cela lui laissait donc une avance de sept ou huit heures.

— Ça vous passionne, pas vrai ? demanda Theo, amusé.

— Bien sûr. Pas toi ?

— Naturellement, mais je n'y ai pas autant réfléchi que vous. Où est Duffy, en ce moment ?

— Loin, bien loin. Les flics n'ont aucune idée du véhicule qu'il conduit, donc ils restent ici tranquillement, en attendant que d'autres indices arrivent. Duffy pourrait être n'importe où.

— Vous croyez qu'ils l'attraperont ?

— Quelque chose me dit que non. Ce pourrait bien être une évasion parfaite, surtout s'il a un complice.

Âgé d'une trentaine d'années, Mr. Mount était de loin le professeur le plus sympa du collège, du moins selon Theo. Son père était juge et son frère aîné, avocat. Il parlait souvent de quitter l'enseignement pour étudier le droit. Il s'occupait de l'équipe des débats en quatrième. Theo était son élève star, et tous deux avaient noué une solide amitié. Tandis qu'ils regardaient les nouvelles sur l'ordinateur, ils élaboraient des scénarios échevelés pour savoir ce qui était arrivé à Pete Duffy. Comment avait-il fait pour disparaître ?

— On va en discuter en éducation civique demain, j'imagine, dit Theo.

— Tu plaisantes ? La ville ne va parler que de ça pendant deux jours.

La cloche sonna et Theo se prépara à partir. La pause déjeuner ne durait que vingt minutes et il n'y avait pas de temps à perdre. Les couloirs se remplirent aussitôt de cinq classes de quatrième qui sortaient des salles, se rendaient à leurs casiers ou à la cafétéria.

Le collège de Strattenburg s'était modernisé quelques années plus tôt, et les nouveaux casiers figuraient parmi les améliorations les plus appréciées. Larges et profonds, ils étaient en bois pour remplacer les vieilles boîtes métalliques bruyantes alignées dans le grand hall pendant des décennies. Il n'y avait plus besoin de clé, chaque casier possédant un clavier à code. Il suffisait de taper cinq ou six chiffres secrets pour que la porte s'ouvre.

Le code de Theo était *58431* (*Juge 1*), en l'honneur de son chien bien-aimé. Il ouvrit la porte, et comprit aussitôt qu'il y avait un problème. Plusieurs choses manquaient. Theo souffrait de crises d'asthme occasionnelles, qui l'obligeaient à utiliser un inhalateur. Il en gardait un dans sa poche en permanence, avec une réserve de trois dans son casier. Elle avait disparu, tout comme la casquette bleu et rouge des Minnesota Twins qu'il accrochait là en cas de pluie. Deux blocs-notes vierges s'étaient aussi volatilisés. Ses livres étaient là, bien empilés. Theo resta comme paralysé un instant, scrutant l'intérieur du casier pour s'assurer qu'il ne rêvait pas ; puis il jeta un œil aux alentours pour voir si quelqu'un (le voleur ?) l'observait. Personne ne semblait lui prêter attention. Il écarta ses livres, farfouilla autour, et arriva enfin à la conclusion que son casier avait été ouvert. On l'avait cambriolé !

De petits larcins se produisaient parfois au collège. L'arrivée des nouveaux casiers, cependant, avec leur système de sécurité sophistiqué, avait pratiquement éliminé ces vols. Theo regarda dans le couloir et leva les yeux au-dessus de la grande horloge murale. Il n'y avait plus qu'un support vide, là où se trouvait auparavant une caméra de surveillance. La caméra avait disparu parce que le collège était en train de renouveler son matériel de sécurité.

Theo ne savait pas trop quoi faire. S'il signalait le vol, il passerait l'heure suivante dans le bureau de la principale, à remplir des papiers. Pire encore, il devrait répondre aux centaines de questions indiscrètes de ses amis et camarades. Il se dirigea vers la cafétéria et décida d'attendre et de réfléchir : comment quelqu'un avait-il pu découvrir son code et ouvrir son casier ? Theo pourrait toujours signaler le cambriolage demain.

Theo paya deux dollars pour un bol de spaghettis, un petit pain et une bouteille d'eau. Il s'assit avec Chase et Woody, et la conversation roula bientôt sur le procès et la disparition de Pete Duffy. Tout en parlant, Theo ne pouvait s'empêcher d'observer la cafétéria. Elle était pleine d'élèves de quatrième, dont aucun ne portait sa casquette des Twins. De toute façon, à sa connaissance, Theo était le seul fan des Twins à Strattenburg.

L'après-midi, pendant l'étude avec Mr. Mount, Theo exposa brièvement ce qu'il avait vu au tribunal, puis ils regardèrent les nouvelles ; l'affaire Duffy dominait toutes les conversations en ville. Il n'y avait toujours aucune trace du fugitif. Un agent du FBI interviewé demandait à la population de lui donner des pistes. Pour l'instant, il n'avait aucun indice sur sa disparition. On parlait beaucoup de la caution de un million de dollars que Duffy avait dû déposer pour rester en liberté, ce qui suscitait plusieurs témoignages sur sa situation financière. Un ancien associé de Duffy, qui affirmait bien le connaître, estimait qu'« il gardait toujours beaucoup de liquide » dans des cachettes. Cette rumeur affriolante excita follement les journalistes.

Après les cours, Theo vérifia de nouveau son casier, et tout semblait en ordre. On ne lui avait rien pris d'autre. Il eut envie de changer son code, mais il décida d'attendre. Ce n'était pas une procédure simple, car tous les codes étaient enregistrés au bureau du principal. Le collège se réservait le droit d'ouvrir n'importe quel casier à tout moment pour un bon motif, mais c'était rarement le cas. Au moins une fois, Theo avait mal fermé son casier et, le lendemain, il avait été étonné de trouver la porte poussée, mais non verrouillée. Ce n'était pas rare chez les cinquième et les quatrième, car il fallait fermer la porte et appuyer sur le bouton pendant trois bonnes secondes. Des élèves de douze ou treize ans pressés ou distraits pouvaient oublier d'appuyer assez longtemps.

Le temps de sortir du bâtiment pour reprendre son vélo, Theo s'était persuadé que son casier avait été visité, mais pas cambriolé. Il se promit de faire plus attention à l'avenir.

Mais Theo découvrit peu après qu'il avait un autre problème : juste après avoir détaché son vélo, il s'aperçut que le pneu avant était à plat. Il l'examina et vit une petite entaille. Quelqu'un avait crevé le flanc.

En ce moment, Theo jouait de malchance avec ses pneus de vélo. Au cours des trois mois précédents, il avait récolté deux clous, un morceau de verre d'une bouteille de soda et un bout de métal tranchant, sans compter deux crevaisons dues à sa conduite effrénée. Son père n'en était pas ravi et, lorsqu'ils abordaient le sujet du prix de ces pneus, l'ambiance se faisait lourde à la maison.

Mais cette fois, ce n'était pas un accident. Quelqu'un avait délibérément enfoncé un objet pointu dans son pneu.

Theo attendit que ses amis s'en aillent, puis il entama un retour humiliant en ville, poussant son vélo dans des rues qui paraissaient désormais bien plus longues, en se demandant qui avait bien pu lui faire une chose pareille. Il essayait de remettre ce dernier acte de vandalisme dans le contexte d'une mauvaise journée. L'excitation du procès s'était évanouie ; Omar Cheepe et Paco l'avaient suivi pendant son retour au collège ; Buck Bla-Bla l'avait raté de peu en lui jetant une pierre, puis l'avait attrapé la seconde fois ; quelqu'un avait vandalisé son casier ; et voilà qu'il se retrouvait avec un pneu crevé qui ferait un gros trou dans ses économies.

De temps en temps, Theo regardait derrière lui, persuadé d'être observé.

L'atelier à vélos de Gil se trouvait en ville, non loin du tribunal, dans une rue étroite pleine de petites boutiques. Il y avait un pressing, un couturier, un labo photo, un rémouleur qui devait de l'argent à Ike pour ses services fiscaux, et deux cafétérias. Theo se flattait de connaître tous les commerçants. Gil était l'un de ses préférés. C'était un petit homme rond doté d'une panse stupéfiante qu'il dissimulait toujours partiellement derrière un épais tablier couvert de cambouis. Gil vendait des bicyclettes et adorait les réparer. Son magasin débordait de modèles de toutes tailles et de toutes couleurs, les plus petits suspendus à de grands crochets au plafond et les VTT de luxe exposés en vitrine.

Theo entra, toujours avec son vélo, accablé par sa journée. Assis sur un tabouret près du comptoir, Gil buvait un café.

— Tiens, tiens, dit-il. Qui revoilà...

— Salut, Gil. J'ai encore un pneu crevé.

— Qu'est-ce qui s'est passé ? demanda Gil en se levant lourdement du tabouret.

— Du sabotage, on dirait.

Gil leva le vélo par le guidon, fit tourner le pneu avant et trouva la crevaison. Il poussa un petit sifflement :

— Tu as énervé quelqu'un ?

— Pas que je sache.

— Un petit canif, je dirais. Pas un accident, c'est sûr. Impossible à réparer. Theo, il va t'en falloir un neuf.

— C'est bien ce que je craignais. Combien ?

— Tu devrais connaître le prix mieux que moi. Dix-huit. Tu veux que j'envoie la facture à ton père ?

— Non, il en a marre de mes pneus de vélo. Celui-là, c'est moi qui paierai, mais je ne peux pas te donner dix-huit dollars aujourd'hui.

— Combien est-ce que tu peux payer maintenant ?

— Je peux t'en apporter dix demain, et le reste dans quinze jours. Tu as ma parole, Gil. Je te signerai même une reconnaissance de dette.

— Je croyais que tu étais avocat, Theo.

— Plus ou moins.

— Eh bien, dans ce cas, tu dois approfondir tes recherches. Il faut avoir au moins dix-huit ans pour s'engager par contrat – y compris pour une reconnaissance de dette.

— Bien sûr, bien sûr, je le savais.

— Alors, on va se serrer la main, à l'ancienne. Dix dollars demain, et les huit autres dans quinze jours.

Gil tendit une main sale et potelée à Theo, qui la serra.

Un quart d'heure plus tard, il dévalait Park Street, heureux d'avoir retrouvé toute sa mobilité, mais il se demandait si cette journée pouvait encore empirer. Devait-il parler de cette malchance à ses parents ? Plus il s'éloignait de son casier vandalisé, moins cela lui semblait important. Theo pouvait survivre à ces pertes, si irritantes qu'elles soient. Le pneu crevé, en revanche, c'était différent : on avait utilisé une arme.

En s'approchant du cabinet Boone & Boone, Theo eut soudain une pensée glaçante. Et si c'était la même personne qui avait cambriolé son casier, puis crevé son pneu ?

4.

Boone & Boone était un petit cabinet d'avocats dans une rue pleine de cabinets d'avocats, de comptables et d'architectes. Dans
cette partie de Park Street, tous les bâtiments
avaient autrefois été des maisons, bien avant la
naissance de Theo.

Il grimpa l'escalier avec son vélo et le déposa
près de la porte d'entrée, à son habitude. Il jeta
un œil aux alentours, juste pour s'assurer que personne ne le surveillait – lui ou sa bicyclette.
L'accueil du cabinet était le territoire d'Elsa Miller,
la secrétaire en chef – et parfois chef – du cabinet.
Vive et hyperactive, elle était assez âgée pour être
la grand-mère de Theo, et se comportait souvent
comme si c'était le cas. Comme chaque jour, elle
bondit de son siège, jaillit de derrière son bureau
et fondit sur Theo dès qu'elle le vit. Elle l'étreignit
avec férocité, le gratifia d'un douloureux pinçon
à l'oreille, lui ébouriffa les cheveux, mais, Dieu
merci, ne lui fit pas la bise. Elsa savait que les

garçons de treize ans ne voulaient plus qu'on les embrasse. Pendant toute cette agression – et Theo considérait que c'en était bien une –, Elsa parlait sans arrêt :

— Theo ? Comment s'est passée ta journée ? Tu as faim ? Est-ce que tu trouves que ta chemise est assortie à ton pantalon ? As-tu fini tes devoirs ? Tu as entendu les nouvelles – Pete Duffy a sauté d'un pont ?

— Sauté d'un pont ? répéta Theo, en se libérant de l'étreinte d'Elsa.

— Enfin, c'est juste une théorie, mais, grand Dieu, on entend tellement de rumeurs en ville, actuellement...

— J'étais au tribunal ce matin, quand il n'est pas venu, annonça fièrement Theo.

— C'est vrai ?

— Oui.

Elsa battit en retraite aussi vite qu'elle avait surgi, ce qui permit à Juge de venir dire bonjour. Juge passait ses journées à se reposer au bureau, rendant visite à tout le monde, dormant en divers endroits, toujours à la recherche de quelque chose à manger. En général, il attendait Theo soit à son bureau, assis dans son fauteuil, soit allongé aux pieds d'Elsa, où il était censé protéger le cabinet – sans rien en faire.

— Il y a des brownies aux noix de pécan dans la cuisine, annonça Elsa.

— Qui les a faits ? demanda Theo.

Ce n'était pas une question en l'air. Les brownies d'Elsa étaient à peu près comestibles, si on mourait de faim, mais pas les parts de gâteau qu'apportait parfois Dorothy, la secrétaire du service immobilier. Ils ressemblaient à du mortier et avaient un goût de boue. Juge lui-même ne leur accordait pas un reniflement.

— C'est moi qui les ai faits, Theo, et ils sont délicieux.

— Les tiens sont parfaits, dit Theo en prenant le couloir.

— Ta mère est au tribunal et ton père à l'autre bout de la ville, pour conclure un contrat immobilier, dit Elsa.

Une partie importante de son travail consistait à savoir où se trouvait tout le monde, en particulier Mr. et Mrs. Boone, et c'était facile car c'était elle qui s'occupait de leurs agendas. Cela dit, Elsa pouvait à tout moment vous donner l'endroit précis où se trouvaient Dorothy et Vince, le secrétaire juridique de Mrs. Boone. En ajoutant Juge et Theo à la liste, Elsa connaissait tous les rendez-vous d'affaires ou médicaux, déjeuners, cafés, dépositions au tribunal, anniversaires, vacances, anniversaires de mariage et même enterrements. Une fois, elle avait remis à Dorothy une carte de condoléances pour la mort de son père – trois ans jour pour jour après l'enterrement du vieil homme.

D'après l'emploi du temps quotidien élaboré par les Boone, Theo devait 1) arriver au cabinet tous les jours après la classe où 2) il était accueilli par

Elsa dont il subissait les rituels, puis 3) il passait rapidement dire bonjour au bureau de sa mère, puis 4) il montait au premier, Juge sur ses talons, avant de faire à son père un résumé de ses activités de la journée, puis 5) après avoir échangé quelques mots avec Dorothy et 6) quelques autres avec Vince, 7) il pénétrait dans son petit bureau au fond du bâtiment et sortait ses devoirs, qu'il devait terminer avant dîner. Bien sûr, s'il avait autre chose à faire, comme travailler pour un badge du mérite scout ou regarder ses camarades jouer au football ou au basket, il était dispensé du passage rituel au cabinet. C'était un adolescent, un enfant unique, et ses parents, tout stricts qu'ils étaient, comprenaient les nécessités d'une éducation équilibrée.

Theo ferma la porte de son minuscule bureau et sortit son ordinateur de son sac à dos. Il jeta un œil aux informations locales pour avoir du nouveau sur les recherches. Personne ne parlait d'un homme qui aurait sauté d'un pont, ce qui ne surprit pas Theo. Elsa était connue pour exagérer.

Theo avait du mal à se concentrer, mais, au bout de deux heures, ses devoirs étaient presque finis. Elsa rangeait son bureau et s'apprêtait à partir. Mr. et Mrs. Boone étaient encore occupés ailleurs. Theo inspecta son vélo, ne trouva pas de nouveaux dégâts, et partit avec Juge, toujours sur ses talons.

Ike avait installé son bureau au premier étage d'un vieux bâtiment appartenant à un couple de

Grecs. Leur petit restaurant se trouvait au rez-de-chaussée, et l'étage était toujours plongé dans l'odeur du rôti d'agneau aux oignons. Ce fumet pouvait agresser les narines du visiteur, même s'il n'était pas totalement désagréable, mais Ike, qui vivait là depuis bien des années, ne semblait plus le remarquer.

Assis à son long bureau encombré, il sirotait une bière en écoutant un Bob Dylan à peine audible sur sa stéréo. Theo entra sans frapper et s'écroula dans un vieux fauteuil poussiéreux.

— Comment va mon neveu préféré ? demanda Ike comme chaque fois.

Theo était le seul neveu d'Ike. Ha, ha, ha.

— Super, répondit Theo. Un peu déçu par ce qui s'est passé au procès.

— Bizarre, c'est sûr. J'ai ouvert les oreilles toute la journée et je n'ai rien entendu.

Depuis sa chute spectaculaire de son statut d'avocat respecté et important à celui de vieux hippie excentrique et radié du barreau, Ike fréquentait les marginaux de Strattenburg, et là, il apprenait bien des choses. Dans un club de poker, il jouait avec des flics et des avocats à la retraite. Ailleurs, il côtoyait plusieurs ex-délinquants comme lui-même. Lorsqu'une affaire éclatait, Ike pouvait en général suivre une rumeur et l'examiner de près avant qu'elle ne se répande.

— Alors, quelle est ta théorie ? demanda Ike.

Theo répondit avec désinvolture, comme s'il savait exactement ce qui s'était passé.

— C'est simple, Ike. Pete Duffy a pris un vélo un peu après minuit, il a fait deux ou trois kilomètres sur un chemin, il a retrouvé son complice, mis sa bicyclette dans le coffre de la voiture ou à l'arrière d'une camionnette, et le voilà parti, conclut Theo d'un air dégagé.

Il adressa un merci silencieux à Mr. Mount.

Ike l'écoutait, concentré, bouche légèrement ouverte, le front plissé.

— Où est-ce que tu as entendu ça ? demanda-t-il.

— Où je l'ai entendu ? Nulle part. Ça me paraît évident. Comment est-ce qu'on pourrait l'expliquer, autrement ?

Ike se gratta la barbe et dévisagea son neveu. Il était souvent impressionné par la maturité et la débrouillardise de Theo, mais cette explication facile du mystère Duffy lui semblait un peu préparée à l'avance. Theo continua alors :

— Et je parie qu'ils ne le trouveront pas. Je parie que Pete Duffy a tout prévu et qu'il est loin, maintenant, sans doute avec plein d'argent et de nouveaux papiers.

— Ah, vraiment !

— Bien sûr, Ike. Il avait huit heures d'avance, et la police n'a aucune idée du véhicule qu'il utilise. Alors, qu'est-ce qu'elle peut bien chercher ? Elle l'ignore.

— Tu veux quelque chose à boire ? demanda Ike en pivotant sur son siège.

Il avait un petit réfrigérateur derrière son bureau, qui était d'habitude bien fourni.

— Non merci, dit Theo.

Ike se sortit une autre bouteille de bière, l'ouvrit et en prit une gorgée. Theo savait qu'il buvait trop ; il l'avait appris en tendant l'oreille chez Boone & Boone, et aussi au tribunal. Deux ou trois fois, il avait saisi des allusions aux difficultés qu'avait Ike avec l'alcool, et Theo supposait que c'était vrai. Cependant, il n'en avait jamais eu la confirmation personnelle. Ike était divorcé et bien éloigné de ses enfants et petits-enfants. Il vivait seul. Pour Theo, c'était un vieil homme triste.

— Tu as toujours 14 de moyenne, en chimie ? demanda Ike.

— C'est bon, Ike. Il faut vraiment qu'on discute de mes notes chaque fois ? Mes parents s'en occupent bien assez. Et j'ai 15, pas 14.

— Comment vont tes parents ?

— Très bien. J'ai un message de ma mère : je dois te demander de venir dîner avec nous ce soir chez Robilio.

— Comme c'est gentil de sa part !

Ike fit un geste vague au-dessus des dossiers amoncelés sur son bureau, puis lança la réplique usée et habituelle, celle que Theo entendait presque chaque jour dans la bouche de ses parents :

— J'ai trop de travail.

« Quelle surprise ! » pensa Theo. Pour des raisons qu'il ne comprendrait jamais, la relation entre

Ike et ses parents était compliquée, et il ne pouvait rien faire pour la simplifier.

— Ça ne prend pas longtemps de dîner, insista Theo.

— Dis à Marcella que je la remercie.

— Ce sera fait.

Theo se confiait souvent à Ike, et lui disait des choses qu'il n'aurait pas dites à ses parents. Il faillit lui parler de son étrange journée après son départ du tribunal, ce matin, puis décida de laisser tomber. Il pourrait toujours le raconter plus tard à Ike et lui demander conseil.

Ils parlèrent base-ball et football, et, au bout d'une demi-heure, Theo et Juge dirent au revoir. Le vélo de Theo n'avait pas bougé, ses deux pneus étaient intacts, et il fonça, Juge derrière lui. Il retrouva son père et sa mère au cabinet et leur fit le résumé rituel de sa journée.

Marcella Boone n'aimait pas cuisiner et était souvent trop occupée pour s'y essayer. Woods Boone était un cuisinier minable mais un fin gourmet et, depuis que Theo était petit, la famille aimait goûter la merveilleuse diversité gastronomique de Strattenburg. Le lundi, ils mangeaient italien chez Robilio. Le mardi, c'était soupe et sandwich dans un foyer de sans-abri, pas exactement de la haute cuisine. Le mercredi, ils prenaient un repas à emporter dans l'un des trois restaurants chinois qu'ils appréciaient. Le jeudi, Mr. Boone prenait le plat du jour dans un restaurant turc. Le vendredi soir, c'était toujours du poisson chez

Malouf, un bistro libanais animé. Le samedi, ils alternaient ; chacun choisissait à son tour. Enfin, le dimanche, Mrs. Boone prenait le commandement de sa cuisine et essayait une nouvelle recette de poulet rôti. Le résultat n'était pas toujours spectaculaire.

À 19 heures précisément, la famille Boone entra chez Robilio et on la conduisit à sa table préférée.

5.

C'était mardi matin. Pas n'importe quel mardi : le premier mardi du mois, ce qui voulait dire que Theo, et une cinquantaine d'autres boy-scouts de la troupe 1440, du conseil de Old Bluff, portaient leurs chemises et leurs foulards officiels au collège. Le conseil de l'établissement avait décidé que le port d'un uniforme scout complet ne pouvait être toléré. Il existait un code vestimentaire vague, peu appliqué, et toujours source de litiges ; l'uniforme scout intégral n'était pas en infraction. Cependant, le conseil s'inquiétait qu'en permettant ces tenues de boy- ou girl-scout, même un seul jour par mois, toutes sortes d'uniformes pourraient suivre : sport, karaté, costumes de théâtre, ou même des tenues religieuses comme des robes bouddhistes ou des burqas. La question s'était compliquée et, une fois parvenus à un compromis, Theo et les autres scouts s'estimèrent heureux de pouvoir arborer une partie de leur uniforme un jour par mois.

Theo se doucha en vitesse, se brossa les dents – quasiment invisibles derrière son appareil – et enfila sa chemisette kaki réglementaire, avec l'épaulette réglementaire du conseil, les chiffres de sa troupe en bleu et blanc et son insigne de patrouille. Une fois la chemise parfaitement enfoncée dans son jean, Theo ajusta soigneusement son foulard orange autour de son cou et le ferma avec la bague officielle des scouts. En uniforme complet, Theo aurait pu arborer son ceinturon du mérite ; il en était fier car il venait de recevoir ses vingt-deuxième et vingt-troisième badges, pour l'astronomie et le golf. Si tout se passait comme prévu, Theo atteindrait le grade supérieur l'été précédant son entrée en troisième. Son autre but était de récolter au moins trente-cinq badges, bien colorés et cousus en ordre parfait par sa mère.

Juge, qui dormait sous le lit de Theo, était réveillé depuis une demi-heure et en avait assez d'attendre. Il gémissait et voulait sortir. Theo rajusta son foulard, contempla son reflet d'un air approbateur, attrapa son sac et dévala l'escalier.

L'espace d'un instant, il avait oublié la disparition de Pete Duffy.

Sa mère, peu encline à se lever pleine d'énergie aux aurores, sirotait son café à la table de la cuisine en lisant le journal.

— Bonjour, Theo. Qu'est-ce que tu es mignon !

— Bonjour, répondit Theo en embrassant sa mère sur le front.

Il détestait l'adjectif « mignon » quand sa mère l'utilisait à son sujet. Il ouvrit la porte et Juge disparut dehors. Son petit déjeuner habituel l'attendait : une boîte de céréales, du lait, un bol, une cuillère et un verre de jus d'orange.

— Aucune trace de Pete Duffy, annonça sa mère, toujours le nez dans son journal.

— Ils ne le retrouveront pas, dit Theo, répétant ce qu'il avait déjà dit de nombreuses fois au cours du dîner.

— Je n'en suis pas si sûre. De nos jours, c'est dur d'échapper au FBI, avec toute la technologie qu'ils ont.

Cela aussi, Theo l'avait entendu au dîner. Il contempla son bol de céréales, puis rouvrit la porte pour que Juge puisse bondir à l'intérieur. Le matin, à l'heure du petit déjeuner, Juge ne perdait pas de temps. Theo remplit de lait et de céréales le bol de son chien, qui se jeta dessus.

Sans lever les yeux de son journal, Mrs. Boone demanda :

— Donc, tu vas chez les scouts cet après-midi, hein ?

« Non, maman, c'est Halloween. »

« Non, maman, toutes mes autres chemises sont sales, c'est pour ça que j'ai mis celle des scouts. »

« Non, maman, c'est une ruse pour te tromper, pour que tu croies que c'est le premier mardi du mois, et du coup peut-être que tu te tromperas d'audience au tribunal. »

Ah, tout ce qu'il aurait aimé dire ! Mais Theo, en bon scout respectueux de l'autorité, et en bon fils qui ne voulait pas irriter sa mère en jouant les malins, se contenta de répondre :

— Bien sûr.

— C'est quand, votre prochaine sortie camping ? demanda Mrs. Boone.

— Vendredi en huit, à Lake Marlo.

La troupe 1440 passait au minimum un week-end par mois dans les bois, et ces sorties étaient les aventures préférées de Theo.

Il y avait au moins une pendule dans chaque pièce de la maison Boone, signe manifeste que c'étaient des gens organisés. Celle de la cuisine indiquait 7 h 55, et Theo terminait toujours son petit déjeuner à 8 heures. Tandis que Juge lapait le fond de son écuelle, Theo rinça les bols dans l'évier, rangea le lait et le jus d'orange dans le réfrigérateur puis monta en vitesse l'escalier et gagna sa chambre où il piétina quelques instants pour y faire du bruit. Puis, sans s'être brossé les dents une deuxième fois, il redescendit à la cuisine où il embrassa sa mère sur la joue.

— Je pars au collège.

— Tu as l'argent pour le déjeuner ? demanda-t-elle.

— Toujours.

— Tu as fait tes devoirs ?

— C'est parfait, maman. À tout à l'heure, après les cours.

54

— Fais attention, Teddy, et souviens-toi de sourire.

— Mais je souris, maman.

— Je t'aime, Teddy.

— Moi aussi, maman, lança-t-il par-dessus son épaule.

Une fois dehors, il gratta la tête de Juge et lui dit au revoir. Il s'éloigna à vive allure, se répétant ce mot de « Teddy », un agaçant petit surnom familial qu'il méprisait.

— Le mignon petit Teddy, marmonna-t-il.

Il salua Mr. Nunnery, un voisin qui passait toute la journée assis sur sa véranda.

Tout en traversant Strattenburg à vive allure, Theo se rappela l'incident de la veille dans la cour de Buck Bla-Bla, et il décida de respecter le code de la route. Puis, en fonçant dans les rues endormies de Strattenburg, il pensa au procès Duffy, à tous ces moments passionnants qu'il allait rater parce que l'accusé avait choisi de s'enfuir. Son casier... il se demandait avec inquiétude s'il avait été forcé. Son pneu lacéré... est-ce que cela ne risquait pas de se reproduire ? Omar Cheepe et Paco... peut-être le surveillaient-ils toujours ?

Au moment de l'appel, la salle bourdonnait des dernières nouvelles concernant Duffy. Les seize garçons débordaient d'idées, présentaient des scénarios élaborés au dîner ou en écoutant les discussions de leurs parents. Selon certaines informations, un facteur aurait aperçu Duffy non loin de la ville ; d'autres affirmaient qu'il avait été tué par des barons de la drogue ; d'autres encore qu'il était à l'abri, intouchable, en Argentine. Satisfait d'avoir retrouvé son casier intact, Theo écoutait ces bavardages sans y participer.

La cloche sonna et les garçons sortirent de la salle pour se diriger lentement vers une nouvelle et ennuyeuse journée de cours.

La troupe 1440 se retrouvait dans le sous-sol d'un bâtiment des vétérans des guerres étrangères. Les anciens soldats se rejoignaient au-dessus tous les après-midi, pour jouer aux cartes et boire des bières ; les premier et troisième mardis du mois, les boy-scouts s'y rassemblaient pour leur réunion officielle.

Le chef de troupe était un ancien marine qui préférait qu'on l'appelle « Commandant Ludwig », ou tout simplement « Commandant ». (Et parfois « Wig-Wig » dans son dos, mais seulement lorsqu'on était absolument sûr qu'il n'était pas dans les parages.) Le Commandant Ludwig, âgé d'une soixantaine d'années, dirigeait la troupe 1440 comme s'il préparait un peloton de marines à une invasion. C'était un bon coureur, et il affirmait faire cinq cents pompes et abdominaux avant le petit déjeuner. Il poussait constamment les garçons à nager plus loin, ramer plus vite, marcher plus longtemps et, de manière générale, à faire mieux en tout. Il suivait leurs travaux et attendait de chaque scout qu'il atteigne le plus haut grade. Il ne tolérait aucune mauvaise habitude et appelait rapidement les parents si une de ses ouailles se laissait aller. De plus, même s'il lui arrivait d'aboyer comme un sergent instructeur, le Commandant savait exactement doser discipline et amusement. Il aimait crier, mais il aimait aussi rire. Les garçons l'adoraient.

Parfois, quand il ne rêvait pas de devenir un grand avocat pénaliste ou un juge sagace, Theo pensait devenir un chef de troupe à plein temps, tout comme le Commandant. Ce projet d'avenir posait toutefois problème : le scoutisme était une activité bénévole.

À 16 heures précises, le Commandant demanda le silence et la grande salle se tut aussitôt. La troupe 1440 était divisée en cinq patrouilles – Panthère, Crotale, Phacochère, Faucon et Forestier –, chacune dotée d'un chef, de son adjoint, et de sept ou huit autres membres. Theo dirigeait la patrouille Faucon. Figée au garde-à-vous, et sous le regard intense du Commandant, la troupe prêta allégeance au drapeau, puis récita la promesse et la devise scoutes. Une fois les scouts assis, le Commandant leur fit suivre un ordre du jour bien organisé, avec des rapports de chaque patrouille, des passages de grade et de badges, des activités de collecte de fonds et, surtout, les projets du prochain week-end de camping à Lake Marlo. On passa une vidéo d'un quart d'heure sur les premiers soins pour les plaies perforantes, suivie d'une session de travail sur les cordes et les nœuds. Le Commandant expliqua qu'il n'était guère impressionné par le niveau de la troupe dans ce domaine. Il attendait de meilleurs résultats lors de la sortie. Le Commandant, grâce à ses années de pratique, était un expert du nœud carré et du nœud de cabestan, mais c'est par sa maîtrise de combinaisons expertes comme le nœud de bois et de sangle qu'il éblouit réellement les garçons.

Comme toujours, les quatre-vingt-dix minutes de réunion passèrent à toute allure, et ils se dispersèrent à 17 h 30. La plupart des scouts partirent à vélo. Theo se mêla à la bande, et s'aperçut alors qu'il avait un problème.

Le pneu arrière était à plat.

Le magasin de Gil fermait quand Theo arriva, fatigué et transpirant d'avoir dû pousser son vélo sur au moins dix rues, depuis le bâtiment des vétérans.

— Eh bien, eh bien, dit Gil en s'essuyant les mains à un torchon, voilà mon client préféré.

Theo avait envie de pleurer. Non seulement il était fatigué, abattu à la perspective de devoir encore acheter un pneu, mais surtout effrayé à l'idée que quelqu'un lui en veuille vraiment. Gil examina le pneu arrière, repéra le trou et déclara :

— Ouais, c'est sans doute le même couteau qui a percé le pneu avant l'autre jour. C'est arrivé au collège ?

— Non, au bâtiment des vétérans, pendant une réunion des scouts.

— Donc, quelqu'un te suit, hein ?

— Je ne sais pas, Gil. Qu'est-ce que je devrais faire ?

— Tu en as parlé à tes parents ?

— Il n'y a que toi qui sais.

Gil prit un démonte-pneu et ôta lentement la chambre à air.

— Moi, je commencerais par mes parents, puis j'irais porter plainte à la police. Et il faudrait aussi en parler à quelqu'un au collège. Je parie que tu n'es pas le seul élève à te faire crever les pneus comme ça.

— Tu en as vu d'autres, ici ?

— Pas depuis une quinzaine de jours, mais ce n'est pas la seule boutique à Strattenburg. Bien sûr, c'est la meilleure, à mon humble et objectif avis.

Ha, ha, ha. Gil rit de sa propre plaisanterie, mais Theo n'arriva même pas à sourire.

— Dix-huit dollars ? demanda-t-il.

— Pareil qu'hier, opina Gil.

— Je ferais mieux d'en parler à mon père, je crois.

— Bonne idée.

Woods Boone se trouvait dans son bureau, en rendez-vous avec un autre avocat. Marcella Boone était dans le sien, avec un client, pour un divorce. Elsa parlait au téléphone lorsque Theo arriva ; Dorothy et Vince étaient à l'extérieur. Seul Juge attendait Theo, et tous deux se rendirent dans son bureau minuscule, au fond du bâtiment. Theo vida son sac, et son bureau – une ancienne table à jouer – se couvrit rapidement de livres et de cahiers. Theo posa aussi son ordinateur portable. Il eut cependant du mal à se concentrer sur ses devoirs.

Pourquoi donc quelqu'un voudrait-il lui crever les pneus et forcer son casier ? Il ne se connaissait pas d'ennemis, à ce stade de sa vie. Sauf s'il tenait compte d'Omar Cheepe et Paco, et il était persuadé qu'ils avaient des soucis plus importants. C'étaient des truands de carrière, de vrais professionnels, pas vraiment le genre à faire de sales petits boulots dans un collège. Comment auraient-ils pu se glisser dans le grand hall sans être repérés ? Impossible. D'ailleurs, pourquoi s'intéresseraient-ils à un paquet de trois inhalateurs et une casquette des Twins ? Theo ne les voyait pas en train de traîner près des vélos dans la cour, attendant le bon moment pour lui crever les pneus, ou de le suivre à sa réunion de scouts.

Theo se disait que le vandale pouvait bien être un autre élève. Mais qui, et pourquoi ? Il était perdu dans ses pensées... quand son monde explosa littéralement.

Son bureau communiquait par une porte avec le parking arrière de Boone & Boone, et c'était une porte partiellement vitrée. Un gros caillou fracassa soudain le verre, projetant des éclats partout – sur les étagères, le bureau de Theo et le sol. Juge bondit et aboya à tue-tête. Theo se protégea instinctivement le visage au cas où un nouveau caillou arriverait. Il attendit quelques secondes, essayant de reprendre son souffle, puis se leva d'un bond et ouvrit la porte d'un coup. Personne dehors. Juge, grondant et aboyant, dévala les marches et fonça dans le parking, mais ne trouva rien.

Le caillou était plus gros qu'une balle de base-ball. Il était tombé juste à côté du panier de Juge. Elsa arriva en courant. Elle s'écria :

— Theo, qu'est-ce qui se passe !

Puis elle vit la vitre brisée de la porte, le verre partout.

— Ça va ?

— Je crois, répondit Theo, toujours sous le choc.

— Qu'est-ce qui s'est passé ?

— Quelqu'un a jeté un caillou, expliqua Theo en le ramassant.

Ils l'examinèrent. Mrs. Boone apparut et demanda :

— Qu'est-ce qui se passe, ici ?

Mr. Boone arriva juste après et posa la même question. Ils évaluèrent les dégâts pendant quelques minutes, perplexes. Elsa trouva un morceau de verre dans les cheveux de Theo, mais il n'avait aucune blessure.

— Je vais appeler la police, dit Mr. Boone.

— Bonne idée, dit Mrs. Boone.

— Tu as une idée de qui a fait ça ? demanda Elsa.

— Aucune, répondit Theo.

6.

Cet après-midi s'avéra riche en événements. Comme Mrs. Boone s'occupait de nombreux divorces, et toujours du côté de l'épouse, son bureau était parfois la scène de vilains drames familiaux. Le calme venait juste de revenir chez Theo, et Mr. Boone se dirigeait vers la salle de réunion pour appeler la police, quand on entendit une violente dispute près de l'entrée. Un homme furieux et une femme glapissante se querellaient, et la situation dégénéra rapidement. La femme s'appelait Mrs. Treen, c'était une nouvelle cliente de Mrs. Boone, et l'homme était son mari, Mr. Treen. Ils avaient une maison pleine d'enfants et une infinité de problèmes ; Mrs. Boone avait essayé de les convaincre de voir un conseiller conjugal plutôt que de suivre une procédure de divorce. D'après Mrs. Treen, son mari était devenu violent et insultant, impossible à supporter.

Et en effet il semblait violent, dressé devant le bureau d'Elsa en grondant à sa femme : « Tu ne vas pas demander le divorce ! Il faudra me passer dessus avant. » C'était un homme barbu, trapu et épais, avec des yeux qui lançaient des éclairs. Mrs. Boone, Elsa et Theo arrivèrent dans le hall et s'arrêtèrent pour observer la scène.

Mr. Boone fit un pas en avant et déclara :

— Essayons de nous calmer et de nous comporter en personnes civilisées.

Mrs. Treen se rapprocha de Mrs. Boone. Elsa et Theo restèrent dans le fond, tout yeux et tout oreilles.

— Je ne peux plus vivre avec toi, reprit Mrs. Treen. J'en ai assez de me faire cogner et gifler. Je prends les enfants et je m'en vais, Roger, et tu ne pourras rien y faire.

— Je n'ai jamais levé la main sur toi, répondit-il.

Mais personne ne le crut. Avec son air de bagarreur, Mr. Treen semblait capable de gifler n'importe qui.

— Arrête de mentir, Roger, dit sa femme.

— Nous devrions peut-être aller dans mon bureau, proposa calmement Mrs. Boone.

— Il a un pistolet... dit Mrs. Treen.

Tout le monde se raidit.

— ... dans sa poche.

Les regards convergèrent vers la poche de Mr. Treen, qui semblait en effet dissimuler un objet dangereux.

— Va dans la voiture, Karen, dit Mr. Treen, les yeux étincelants et la mâchoire serrée.

Aucune personne sensée ne serait montée en voiture avec ce type.

— Non, répondit-elle. Je n'obéirai plus à tes ordres.

— Je vais vous demander de partir, dit fermement Mr. Boone.

Mr. Treen sourit, porta la main à sa poche droite et déclara :

— Peut-être que je n'ai pas envie de partir.

— Alors, je vais appeler la police, rétorqua Mr. Boone.

Il y eut un long silence. Personne ne bougeait. Enfin, Mrs. Boone suggéra :

— J'ai une idée. Allons dans la salle de réunion, juste nous quatre, histoire de prendre un café et de discuter.

Mrs. Boone, qui négociait des divorces et passait beaucoup de temps au tribunal, connaissait la nécessité du compromis. Sa voix douce et son caractère posé dissipèrent un peu la tension.

La situation était bloquée. Mr. Treen ne voulait pas partir. Mrs. Treen ne voulait pas partir avec lui. Et personne ne voulait provoquer un homme armé. Mr. Treen céda le premier, empêchant ainsi la situation d'empirer.

— D'accord, on va parler, dit-il.

— J'apporte le café, ajouta aussitôt Elsa.

Les Treen et les Boone pénétrèrent dans la salle de réunion et fermèrent les portes. Au début, Theo et Elsa se demandèrent s'ils devaient appeler la police ou attendre Mr. Boone. Theo était inquiet à l'idée de savoir ses parents enfermés avec un individu agité et perturbé, assez instable pour porter une arme à feu. Et si la situation dégénérait ? Et s'ils entendaient tout à coup des détonations dans la pièce ? Theo voulait appeler la police immédiatement.

Mais Elsa ne voyait pas les choses de cette manière. Mr. Treen avait accepté de discuter calmement de leurs problèmes. Si la police arrivait et l'arrêtait pour port d'arme illégal, il pouvait craquer, sombrer et faire quelque chose de bien pire la fois suivante. Elsa faisait confiance à ses patrons pour désamorcer la situation et peut-être régler certains problèmes des Treen.

Elle préféra donc appeler un vitrier pour un dépannage d'urgence.

Les minutes s'écoulèrent sans qu'un coup de feu retentisse. Ni qu'une dispute éclate. Theo se calma un peu, même s'il restait tendu après les événements de la journée. Elsa et lui décidèrent de prendre des photos du bureau pour les montrer à la police plus tard. Ils nettoyèrent le verre, conservant le caillou comme preuve. Le vitrier arriva à la tombée de la nuit et se mit au travail.

*

Habituellement, le mardi soir, les Boone quittaient leur cabinet et se rendaient à quelques rues de là, au foyer de Highland Street où l'on servait à manger et aidait les sans-abri. Mrs. Boone, avec trois autres avocates de Strattenburg, avait ouvert un petit bureau d'assistance juridique gratuite pour femmes victimes de violences, dont plusieurs, sans domicile, vivaient sur place. Mr. Boone y voyait aussi des clients, généralement des gens qui avaient été expulsés à tort de leur domicile, ou qui s'étaient vu refuser des aides. Theo, lui, avait pour tâche d'aider les enfants à faire leurs devoirs.

La réunion avec les Treen semblait devoir durer une éternité ; Theo décida donc de se rendre seul au foyer, supposant que ses parents le retrouveraient plus tard, au moins pour dîner. Après avoir servi les sans-abri, ils prenaient toujours un petit bol de soupe ou un sandwich avant de dispenser leurs conseils juridiques. Theo mourait de faim et il avait assez vu le cabinet. Il dit au revoir à Elsa et se rendit à vélo au foyer. Il était trop tard pour dîner, mais il trouva des restes dans la cuisine.

En ce moment, il enseignait les maths aux fils Koback. Russ, huit ans, et Ben, sept, vivaient au foyer avec leur mère depuis deux mois. Mrs. Boone s'occupait des problèmes juridiques de Mrs. Koback et, même si Theo ne connaissait pas les détails, il savait que leur petite famille avait fui une tragédie. Mr. Koback avait été tué dans un pays lointain, et d'une manière dont on ne parlait pas. Après sa mort, la famille avait tout perdu et avait vécu plusieurs semaines dans un vieux camion avant de trouver une place au refuge.

Pour son passage de grade scout, Theo prévoyait d'organiser un programme où des bénévoles du lycée assez grands pour conduire adopteraient un enfant sans-abri, une sorte de parrainage. Theo pensait aussi construire un nouveau foyer, pour héberger les personnes qui vivaient encore dans des tentes ou sous des ponts. Cependant, son père l'avait prévenu que cela coûterait des millions.

Comme à l'accoutumée, les fils Koback étaient calmes, voire même timides. Leur jeune existence n'avait été que chaos et malheur. Mrs. Boone disait qu'ils étaient traumatisés et qu'il leur fallait voir un psychologue. Theo réussit à leur extorquer quelques sourires pendant qu'ils étaient plongés dans leurs manuels de maths. Leur mère les observait non loin de là. Theo pensa qu'elle devait elle aussi essayer d'apprendre les maths. Il savait qu'elle avait des difficultés à lire.

À chaque visite au foyer, Theo mesurait la chance qu'il avait. À moins d'un kilomètre de sa maison sûre et chaleureuse vivaient des gens comme les Koback, dormant sur des lits de camp et mangeant la nourriture donnée par les églises et les institutions charitables. L'avenir de Theo était relativement prévisible. Si tout se passait bien, il irait à l'université après ses études secondaires (il n'avait pas encore décidé où), puis se spécialiserait en droit pour devenir avocat. Les jeunes Koback, au contraire, n'avaient aucune idée de l'endroit où ils vivraient dans un an. Le foyer ne permettait pas à ses « amis » de rester plus de douze mois, délai au cours duquel ils étaient censés trouver un travail et un domicile plus stable. Et donc, comme tous les autres, les Koback n'étaient que de passage.

À 21 heures, tous les bénévoles sortirent du foyer. Theo dit au revoir à Ben, Russ et leur mère, et quitta la salle du sous-sol. Il ne vit nulle trace de ses parents. Il décida donc de retourner à vélo au cabinet pour récupérer son sac et son chien, dans l'espoir que tout le monde serait encore vivant. Il n'y avait pratiquement plus de circulation à cette heure-là, et Theo fila dans les rues sans guère s'inquiéter du code de la route. Il coupa les virages, fonça sur les trottoirs et grilla les stops, se félicitant d'avoir deux pneus bien gonflés.

Deux voitures attendaient au feu rouge situé au coin de Main Street et Farley Street, juste devant Theo, qui bondit donc sur le trottoir. Au moment où il tentait un virage en dérapage assez risqué dans Main Street, il heurta un autre vélo, celui d'un policier en tenue – l'agent Stu Peckinpaw, un vétéran mince aux cheveux grisonnants qui patrouillait en centre-ville depuis des décennies. Tous les jeunes de Strattenburg le connaissaient, et essayaient de l'éviter.

Theo rebondit, indemne, et se frotta les jambes.

— Désolé, dit-il, s'attendant presque à se faire arrêter et embarquer.

L'agent Peckinpaw posa son vélo contre un panneau et ôta son casque.

— Comment t'appelles-tu, jeune homme ? demanda-t-il, comme si Theo risquait d'être un tueur en série.

— Theodore Boone.

Ils s'étaient déjà croisés à plusieurs reprises les années précédentes, mais c'était la première fois que Theo avait vraiment affaire à l'agent Peckinpaw.

— J'ai déjà entendu ce nom, dit le policier, tendant à Theo la perche dont il avait toujours besoin.

— Oui, monsieur. Mon père s'appelle Woods Boone et ma mère Marcella Boone. Du cabinet juridique Boone & Boone.

— Ça me dit quelque chose. Eh bien, si tes deux parents sont avocats, tu devrais connaître le droit, non ?

— J'imagine.

— Les arrêtés municipaux interdisent de circuler à bicyclette sur le trottoir à toute heure du jour et de la nuit, sans exception. Tu ne le sais pas ?

— Si, je le sais, monsieur.

Peckinpaw fusilla Theo du regard, comme s'il s'apprêtait à dégainer ses menottes et à les lui passer.

— Tu es sûr que tout va bien ?

— Oui, monsieur.

— Alors, rentre chez toi et descends du trottoir.

— Oui, monsieur. Merci.

L'agent Peckinpaw aboyait mais ne mordait pas, et il infligeait rarement des amendes aux jeunes à vélo. Il aimait crier et menacer, mais préférait éviter la paperasse. Theo s'éloigna en hâte, soulagé d'être sorti d'affaire, mais aussi curieux de voir ce qui pouvait encore arriver en ce jour chargé. Son portable sonna et il s'arrêta pour répondre. C'était sa mère, lui demandant de rentrer à la maison. La réunion avec les Treen était enfin terminée, et avec succès.

Lorsque Theo entra dans la cuisine, ses parents mangeaient une pizza surgelée. Ils étaient épuisés. Ils lui posèrent des questions sur le foyer, mais étaient presque trop fatigués pour parler. Theo voulut savoir comment cela s'était passé avec les Treen après son départ, mais la traditionnelle barrière protectrice avocat-client se dressa aussitôt, et la conversation s'arrêta net. Ses parents ne parlaient jamais de leurs clients. Jamais. Les affaires d'un client et ses échanges avec ses avocats étaient rigoureusement privés. Mrs. Boone admit toutefois qu'ils étaient parvenus à un accord, et que les Treen iraient voir un conseiller conjugal.

Theo avait bien des choses à raconter. Deux pneus crevés, un casier fracturé, et maintenant une pierre dans la vitre du bureau. Quelqu'un le harcelait, et il avait besoin d'en parler. Mais il savait que ce serait une longue discussion, et tous les Boone, y compris Juge, voulaient se coucher. Woods Boone, un avocat qui évitait généralement les conflits, semblait particulièrement fatigué par l'épreuve de trois heures endurée avec les Treen. Mrs. Boone souffrait d'une migraine. Theo s'apprêtait à insister quand même parce qu'il avait besoin d'aide et de conseils, mais, juste au moment où il allait le leur dire, le téléphone sonna. C'était Mrs. Treen, de nouveau en détresse.

Theo et Juge montèrent se coucher.

7.

Le lendemain, mercredi, Theo fonça comme d'habitude au collège, mais cette fois il évita le centre-ville et les trottoirs. Il n'eut pas l'occasion de bavarder au petit déjeuner avec ses parents parce que son père, comme toujours, était parti tôt le matin pour discuter avec son groupe d'amis autour d'un café, et que sa mère, en retard, s'apprêtait à se rendre à une réunion. Theo et Juge mangèrent seuls, en silence.

D'après les journaux, il n'y avait aucune trace de Pete Duffy. Des voleurs avaient cambriolé une boutique d'informatique de la grand-rue. Deux étudiants de l'université avaient été arrêtés pour harcèlement sur Internet. Pas un mot du mystérieux voyou qui avait vandalisé le cabinet juridique de Theo Boone, puisque la police n'était pas encore au courant.

Theo était heureux de ce mercredi, qui serait certainement meilleur que le mardi.

Pourtant pendant le cours de géométrie, en deuxième heure, le mercredi de Theo devint soudain bien pire que son mardi. Miss Gloria, la secrétaire du collège, glapit soudain dans le haut-parleur :

— Miss Garman, est-ce que Theo Boone est présent ?

À cet instant, Theo rêvassait à sa prochaine sortie en camping à Lake Marlo. En entendant prononcer son nom, il se redressa d'un coup, comme s'il avait reçu une gifle.

— Oui, répondit Miss Garman.

— Envoyez-le-moi, s'il vous plaît.

Theo se leva d'un bond et sortit de la classe.

Deux policiers vêtus de costumes sombres attendaient dans le bureau de la principale, Mrs. Gladwell. Quand Theo entra, on aurait dit qu'elle avait vu un fantôme.

— Theo, ces deux messieurs sont de la police, et ils voudraient te parler, dit-elle à toute allure.

Aucun des deux policiers ne sourit, ni ne se leva. Le petit et le plus âgé était l'inspecteur Vorman. Theo l'avait déjà vu au tribunal. Il l'avait regardé témoigner lors d'un procès deux mois plus tôt. L'autre, l'inspecteur Hamilton, Theo ne le connaissait pas. L'homme dit alors :

— Theo, nous aimerions te poser quelques questions.

Comme tous les sièges étaient pris, Theo s'appuya contre le mur. « Qu'est-ce qu'ils faisaient là ? » se demanda-t-il. Il pensa d'abord à la vitre brisée, mais non. Deux inspecteurs ne se déplaceraient pas pour un acte de vandalisme aussi mineur.

— D'accord, parvint à dire Theo.

Hamilton reprit :

— Est-ce que tu te trouvais en ville hier soir ?

Theo n'aimait ni son ton ni son air sombre, qui, ensemble, donnaient l'impression qu'il le soupçonnait d'une infraction. Theo jeta un regard à Mrs. Gladwell, qui pianotait nerveusement sur son bureau. Il vit l'inspecteur Vorman écrire quelque chose sur son calepin.

— Hier soir, j'étais au foyer de Highland Street, répondit Theo.

— Est-ce que tu es passé par la grand-rue, hier soir ? demanda Hamilton.

— Pourquoi est-ce que vous me posez ces questions ? s'enquit Theo, ce qui agaça vraiment les deux inspecteurs.

— C'est moi qui pose les questions, Theo, et toi, tu t'occupes des réponses, grinça Hamilton comme un mauvais acteur à la télé.

— Contente-toi de répondre aux questions, ajouta brutalement Vorman.

— Non, je n'étais pas en ville, répondit lentement Theo, je suis allé au foyer, puis je suis rentré chez moi à vélo.

— Est-ce que tu es tombé sur l'agent Stu Peckinpaw ? demanda Hamilton.

— Oui, par accident, mais il n'y a eu aucun problème.

— Et ça s'est passé où ?

— Au carrefour de la grand-rue et de Farley.

— Donc, tu étais en ville hier soir, n'est-ce pas Theo ?

— J'étais à vélo.

Les deux inspecteurs échangèrent un regard satisfait. Mrs. Gladwell pianota de plus belle sur son bureau. Hamilton reprit :

— Il y a une boutique d'informatique dans la grand-rue, pas loin de Farley. Elle s'appelle Big Mac's Systems. Tu la connais ?

Theo fit signe que non. Cependant, il se rappelait le nom pour l'avoir lu dans les journaux du matin. C'était le magasin qui avait été cambriolé la veille au soir.

Vorman l'aida :

— Ils vendent des PC, des ordinateurs portables, des imprimantes, des logiciels, mais aussi les dernières tablettes, des SmartPads, des liseuses électroniques et des téléphones portables. Tu n'as jamais été dans cette boutique, Theo ?

— Non, monsieur.

— Tu as un ordinateur portable ?

— Oui, monsieur. Jupiter Air, écran treize pouces. Je l'ai eu à Noël.

— Et où est-il ?

— Dans mon sac, en classe.

— Cela t'arrive de le mettre dans ton casier ? demanda Hamilton.

— Parfois. Pourquoi ?

— Encore une fois, Theo, c'est nous qui posons les questions.

— D'accord, mais j'ai l'impression que vous m'accusez de quelque chose. Si c'est le cas, alors je veux appeler un avocat.

Cette déclaration sembla amuser les deux inspecteurs. Un gamin de treize ans qui réclamait un avocat... Ils avaient affaire à des voyous et des criminels toute la journée, et, tous sans exception, ils demandaient un avocat. Ce gosse devait trop regarder la télévision.

— On aimerait voir ton casier, dit Hamilton.

Theo savait qu'il était imprudent d'accepter une fouille, quelle qu'elle soit. Voiture, domicile, poches, bureau, et même casier : il ne fallait jamais accepter une fouille. Si la police pensait avoir la preuve d'une infraction, alors elle pouvait aller voir un juge pour obtenir un mandat ou une permission écrite, avant de procéder à une perquisition. Cependant, Theo savait qu'il n'avait rien fait de mal et, comme tous les innocents, il voulait le prouver à la police. Il savait aussi que le collège pouvait ouvrir son casier sans son consentement.

— Bien sûr, dit-il, avec une certaine hésitation.

Les deux inspecteurs, tout comme Mrs. Gladwell, ne purent que remarquer que Theo avait hésité avant de donner son accord. Tous les quatre sortirent du bureau et s'engouffrèrent dans le couloir désert. La cloche sonnerait dans moins d'un quart d'heure, et une foule d'élèves pourrait alors voir Theo avec deux inconnus en costume sombre. Quelques secondes plus tard, tout le collège serait au courant qu'il faisait l'objet d'une enquête. Devant son casier, Theo jeta un œil aux alentours. Le hall était désert.

— Quand est-ce que tu as ouvert ton casier pour la dernière fois ? demanda Hamilton.

— En arrivant au collège ce matin. Vers huit heures et demie.

— Il y a donc deux heures, à peu près.

— Oui, monsieur.

— Et tu as remarqué quelque chose d'inhabituel à ce moment ?

— Non, monsieur.

Theo voulut parler du fait qu'un inconnu avait fouillé son casier lundi, mais il eut soudain hâte de l'ouvrir, terrifié que quelqu'un le voie avec deux policiers et la principale.

— Tu peux l'ouvrir, maintenant, dit Hamilton.

Theo tapa son code – *58431* (*Juge1*) – et ouvrit la porte. Il ne manquait rien, apparemment. En revanche, il y avait des choses en trop. Du côté gauche, posés contre des manuels, se trouvaient trois objets fins que Theo n'avait encore jamais vus.

— Ne touche à rien, dit Hamilton.

Il se pencha sur Theo, lui soufflant dans le cou. Vorman et Mrs. Gladwell se rapprochèrent, et nul ne dit mot pendant quelques secondes. Hamilton demanda enfin :

— Tu vois quelque chose d'inhabituel, Theo ?

La bouche sèche, Theo réussit à répondre :

— Oui, monsieur. Ceux-là ne sont pas à moi.

Les objets fins étaient des tablettes Linx 0-4, les ordinateurs les plus légers et tendance, qui dominaient le marché. Avec leur carte graphique incroyable, leur mémoire quasi illimitée, leur million d'applications et un prix de 399 dollars, les 0-4 étaient moins chers mais bien plus évolués que leurs concurrents. L'inspecteur Vorman, équipé de gants de chirurgien, posa les 0-4 comme si c'étaient des diamants rares sur le bureau de Mrs. Gladwell. Ils avaient appelé Big Mac, qui venait identifier les objets volés.

— S'il vous plaît, demanda Theo à Mrs. Gladwell, appelez ma mère. Ou mon père, peu importe.

— Pas si vite, coupa Hamilton. On a encore des questions.

— Je ne répondrai plus à aucune question, dit Theo. Je veux que mes parents soient là.

— Si Theo dit qu'il n'a pas volé ces tablettes, je le crois, intervint Mrs. Gladwell.

— Merci, vraiment, fit Hamilton.

— Comment est-ce que vous avez su qu'elles étaient là ? demanda Theo.

— Encore une fois, jeune Theo, s'il te plaît, c'est nous qui posons les questions, répliqua Hamilton.

Dès le départ, le policier avait adopté un ton aussi désagréable que son attitude ; à présent, avec les preuves en main et le vol apparemment résolu, il devenait insupportable.

— Je peux appeler ses parents ? demanda Mrs. Gladwell.

— Bien sûr, répondit Theo. Ce ne sont pas eux qui dirigent le collège. Ils ne peuvent pas vous donner d'ordres.

— Ferme-la, petit, lança Vorman.

— Je vous demande pardon ? s'exclama Mrs. Gladwell. Ne parlez pas ainsi à mon élève. Theo n'est pas un délinquant. Je crois tout ce qu'il dit.

Theo prit son téléphone. Il ouvrit le répertoire et appela le cabinet Boone & Boone. Elsa répondit. Theo, soutenant le regard courroucé de l'inspecteur Hamilton, dit aussitôt :

— Salut, Elsa, c'est moi, Theo. Il faut que je parle à maman.

— Il y a un problème, Theo ?

— Non. Passe-moi maman, c'est tout.

— Elle est au tribunal, Theo. Elle est prise toute la matinée.

— D'accord. Passe-moi papa, alors.

— Il n'est pas là. Il est à Wilkesburg, pour un contrat foncier. Qu'est-ce qui se passe, Theo ?

Theo n'avait pas le temps de discuter avec Elsa, et elle ne pouvait pas l'aider, de toute façon. Les deux inspecteurs trépignaient et Theo se dit qu'il n'avait plus trop de temps. Il coupa la communication avec Elsa et composa un nouveau numéro.

— Ike, c'est moi, Theo.

— Bonjour, Theo. Pourquoi est-ce que tu m'appelles à 10 h 30 du matin ? répondit son oncle.

— Ike, je suis au collège et il y a deux inspecteurs qui m'accusent d'avoir volé des ordinateurs que quelqu'un a mis dans mon casier. Tu peux venir ?

— Ça suffit, petit, gronda Hamilton.

Ike ne répondit rien. Sa ligne se coupa.

Theo ferma son téléphone et le mit dans sa poche. Techniquement, c'était une violation du règlement du collège. Seuls les quatrième et troisième avaient droit aux téléphones dans l'enceinte de l'établissement. Quelques-uns en profitaient. Leur usage était strictement contrôlé. Tous les portables devaient être éteints pendant les cours, et n'étaient autorisés que pendant la récréation et le déjeuner. Étant donné les circonstances, cependant, Theo doutait que Mrs. Gladwell lui en veuille. Il avait raison.

— Nous ne t'avons accusé de rien, dit Hamilton. Nous menons juste notre enquête, et quand nous trouvons quelqu'un en possession d'objets volés, nous devons lui poser des questions. Ce n'est pas normal ?

— Theo n'a pas volé ces ordinateurs, d'accord ? répéta Mrs. Gladwell d'un ton ferme.

Vorman décida de jouer le gentil flic et leur décocha un sourire niais.

— Donc, Theo, si tu n'as pas mis ces ordinateurs dans ton casier, alors c'est quelqu'un d'autre qui l'a fait, manifestement. Qui d'autre possède le code ?

Question sans piège. Theo répondit :

— Personne de ma connaissance. Pourtant, quelqu'un a ouvert mon casier lundi. On a volé une casquette de base-ball des Twins et d'autres objets. Je ne l'ai pas signalé sur le moment, mais je prévoyais de le faire.

Mrs. Gladwell se tourna vers Theo.

— Tu aurais dû nous le dire.

— Je sais, je sais, je suis désolé. Je voulais en parler d'abord à mes parents, puis vous le signaler, mais je n'ai jamais eu le temps.

— Et le collège a une liste de tous les codes des casiers ? demanda Vorman.

— Oui, mais elle est dans un dossier protégé de notre ordinateur principal, répondit Mrs. Gladwell.

— Est-ce que quelqu'un l'a piraté ?

— Pas à ma connaissance.

— Est-ce que le collège a déjà eu des problèmes avec des gens qui auraient forcé des casiers ?

— Non, répondit la principale. De temps en temps, un élève oublie de refermer le sien correctement, et la porte reste entrouverte – ce qui peut parfois conduire à la perte d'un ou deux objets –, mais je ne me souviens pas qu'un élève ait jamais obtenu un code et en ait profité pour ouvrir le casier d'un autre.

— Et toi, Theo ? demanda Vorman. Tu connais quelqu'un qui aurait eu le code de quelqu'un d'autre et ouvert son casier ?

— Non, monsieur.

Hamilton consulta ses notes puis regarda Theo.

— Hier soir, pendant le cambriolage chez Big Mac, le ou les voleurs ont emporté dix de ces tablettes, six ordinateurs portables quinze pouces, et une dizaine de téléphones. Tu as une idée d'où ils peuvent se trouver ?

Serrant les dents, Theo répondit :

— Je ne sais rien du cambriolage d'hier soir parce que je n'y étais pas, et j'ignore comment ces tablettes se sont retrouvées dans mon casier. J'ai dit que je voulais parler à un avocat, et je ne répondrai plus à aucune question tant que mon avocat ne sera pas là.

— Ça se passera mieux si tu coopères, Theo, insista Hamilton.

— Mais je coopère. Je vous ai autorisés à fouiller mon casier, et je dis la vérité.

8.

Big Mac était un petit homme, à peine plus grand que Theo. Il entra dans le bureau de Mrs. Gladwell et fusilla le suspect du regard. Theo resta impassible, debout derrière le fauteuil de la principale. Les inspecteurs donnèrent à Big Mac des gants de chirurgien.

— Et si vous attendiez dehors, tous les deux ? demanda Hamilton.

Theo et Mrs. Gladwell s'exécutèrent. La porte se referma et Mrs. Gladwell commenta à voix basse :

— Je ne comprends pas pourquoi ils doivent être si grossiers.

— Ils ne font que leur travail, répondit Theo.

— Tu veux rappeler tes parents ?

— Plus tard, peut-être. Ils ne sont pas au cabinet et ils sont occupés.

La cloche retentit, et Theo chercha une cachette. Les élèves allaient changer de classe, et il arrivait souvent que plusieurs se précipitent au bureau pour régler des affaires urgentes. Quelqu'un pourrait le voir assis là, l'air coupable, retenu pour tel ou tel motif. Theo trouva un magazine, se dissimula derrière, et se recroquevilla près de la fontaine à eau. Le bruit enfla dans le grand hall.

Dans le bureau de la principale, Big Mac enleva une petite plaque à l'arrière des tablettes et vérifia le numéro de série. De ses doigts gantés, pour éviter d'abîmer toute empreinte digitale, il compara les chiffres à son inventaire.

— Ouais, ça vient bien de chez moi. On dirait que vous avez votre homme.

— Nous verrons, répliqua Hamilton.

— Comment ça ? Vous les avez trouvés dans le casier de ce gosse, non ? Vous l'avez attrapé la main dans le sac, à ce qu'on dirait. Je veux porter plainte immédiatement. On va lui mettre la pression tout de suite, histoire de retrouver tous les autres trucs qu'il m'a volés.

— C'est nous qui menons l'enquête, Mac.

— Je crois que je l'ai vu dans mon magasin la semaine dernière.

Vorman échangea un regard avec Hamilton.

— Vous en êtes sûr, Mac ?

— Je peux pas le prouver, hein. Il y a des tas de jeunes qui passent, mais celui-là, il me dit quelque chose.

— Il prétend n'avoir jamais mis les pieds chez vous.

— Vous vous attendiez à quoi ? On sait que c'est un voleur, pas vrai ? S'il est capable de cambrioler, je suis sûr qu'il sait aussi mentir. Je veux le faire arrêter, d'accord ? Je perds des tonnes d'argent chaque année à cause des voleurs, et je traîne en justice tous ceux que j'attrape.

— Compris, Mac. Quand on aura fini l'enquête, on passera chez vous. Merci de votre coopération.

— Pas de problème. Vous me retrouvez juste le reste, d'accord ?

— C'est entendu.

Big Mac sortit en claquant la porte. Il aperçut Theo qui se cachait près de la fontaine.

— Hé, petit, où sont les autres trucs que tu m'as volés au magasin ? lança-t-il.

À cet instant, il y avait un professeur de sixième qui bavardait à voix basse avec Mrs. Gladwell juste à côté, et un élève de cinquième malade, allongé sur un petit canapé. Tous les regards se tournèrent vers Big Mac, puis vers Theo, qui resta sans voix quelques secondes.

— Je veux mes trucs, compris ? dit Big Mac, encore plus fort.

Il fit un pas vers Theo.

— Je ne les ai pas, réussit à dire Theo.

— S'il vous plaît, intervint Mrs. Gladwell.

La porte s'ouvrit et l'inspecteur Vorman apparut, le doigt braqué sur Big Mac.

— Ça suffit. C'est nous qui menons l'enquête. Vous pouvez partir.

Big Mac sortit sans dire un mot.

La cloche sonna, annonçant la troisième heure. Le professeur de sixième regardait Theo comme s'il était un assassin. Mark Quelque-Chose, l'élève malade, s'était relevé, et dévisageait aussi Theo. Quant à Miss Gloria, le front plissé et les sourcils arqués, elle arborait une expression bien coupable. Theo aurait voulu hurler qu'il n'était pas un voleur, qu'il n'avait rien volé à Big Mac, que d'ailleurs il n'avait jamais rien volé de sa vie, mais, pendant quelques secondes interminables, l'incrédulité le rendit muet.

Il n'avait jamais été accusé d'un délit.

— Vous voulez bien entrer ? leur demanda l'inspecteur Vorman.

Theo suivit Mrs. Gladwell dans son bureau, où elle s'assit dans son grand fauteuil. Theo resta à côté d'elle : tous deux faisaient face aux policiers.

Vorman commença :

— Ces tablettes ont été identifiées par leur propriétaire. Les numéros correspondent tout à fait. Maintenant que nous avons récupéré une partie des objets volés, il nous faut soumettre le casier de Mr. Boone à un examen attentif. Chercher des empreintes, en inventorier le contenu, ce genre de choses.

— Et il faut qu'on parle aux élèves qui ont des casiers à côté, ajouta Hamilton. Ils ont peut-être vu quelque chose ou quelqu'un de suspect, la routine, quoi. Plus vite on pourra le faire, mieux ce sera. Les jeunes ont la mémoire courte.

Mrs. Gladwell savait que les collégiens avaient une bien meilleure mémoire que les adultes, mais elle ne discuta pas.

— Très bien, dit-elle, mais je suis sûre que vous pouvez attendre jusqu'à 15 h 30, le temps que les classes soient finies. Pourquoi perturber les cours pendant la journée ?

Theo était horrifié à l'idée que les deux inspecteurs interrogent ses amis l'un après l'autre. On saurait bientôt qu'il était suspect, que les flics étaient sur sa piste. Il avait besoin d'aide. Mrs. Gladwell faisait de son mieux pour le protéger, mais Theo avait besoin de renforts.

La porte s'ouvrit brutalement et Ike entra en coup de vent.

— Qu'est-ce qui se passe ici ? lança-t-il. Theo, ça va ?

— Pas vraiment, répondit Theo.

Vorman se leva.

— Je suis l'inspecteur Vorman, de la police de Strattenburg, et voici mon collègue, l'inspecteur Hamilton. Puis-je vous demander qui vous êtes ?

L'entrée en matière était sèche ; les trois hommes ne firent pas mine de se serrer la main.

— Ike Boone, anciennement du cabinet d'avocats Boone & Boone, et Theo est mon neveu.

— Et je suis Mrs. Gladwell, la principale. Je vous souhaite la bienvenue dans mon bureau.

— Enchanté, dit Ike. Je pense que nous nous sommes déjà rencontrés. Alors, que se passe-t-il ?

— Êtes-vous avocat ? demanda Vorman.

— Ancien avocat, répliqua Ike. Pour l'instant, je suis l'oncle, conseiller, consultant et tuteur de Theo, et tout ce dont il aura besoin. Si vous voulez des avocats, donnez-moi une heure et je vous les enverrai.

Ike portait sa tenue habituelle : jean délavé, sandales sans chaussettes, et un antique T-shirt orné d'un dessin de bière, sous une veste de sport à carreaux fatiguée ; ses longs cheveux gris étaient tirés en queue-de-cheval. Ike, très agité, cherchait la confrontation, et Theo comprit à cet instant qu'il n'aurait pas pu trouver de meilleur protecteur.

L'inspecteur Hamilton saisit parfaitement la situation et prit la parole avec calme :

— Très bien, Monsieur Boone. Un magasin d'informatique a été cambriolé dans la grand-rue, hier soir. Ce matin, nous avons reçu une information anonyme selon laquelle une partie du butin se trouvait dans le casier d'un certain Theodore Boone, élève au collège. Theo a accepté que nous fouillions son casier, et nous avons trouvé trois tablettes Linx 0-4, d'une valeur de quatre cents dollars chacune. Le propriétaire du magasin a vérifié les numéros de série et identifié ses marchandises.

— Parfait ! s'écria Ike. Alors, nous savons exactement qui a cambriolé la boutique. C'est le voyou qui vous a donné le tuyau anonyme. Pourquoi est-ce que vous ne le retrouvez pas, au lieu de harceler Theo ?

— Il n'y a aucun harcèlement, Monsieur Boone, répondit Hamilton. Nous menons seulement une enquête, qui consiste notamment à retrouver l'auteur de l'appel anonyme. En ce moment, nous essayons de suivre toutes les pistes, d'accord ?

Ike prit une profonde inspiration et se tourna vers son neveu.

— Ça va, Theo ?

— Je crois...

En fait, non. Deux pneus crevés, une pierre dans la vitre, une pluie de verre brisé tombant sur lui et son chien, une première effraction de son casier avec le vol de sa casquette... et maintenant *ça !* Quelqu'un le tourmentait, et s'y prenait drôlement bien.

Mrs. Gladwell intervint :

— Eh bien, si vous voulez mon avis, et comme nous sommes dans mon bureau je vais vous le donner de toute façon, la police a tout à fait le droit de mener une enquête, tant qu'elle ne perturbe pas mon collège. Je pense également que Theodore Boone n'a rien volé.

Les trois hommes hochèrent la tête. Theo, qui était parfaitement d'accord, ne remua pas un cil.

— Ensuite ? gronda Ike à l'intention des policiers.

— Nous aimerions que Theo vienne au poste de police, répondit Hamilton, pour prendre officiellement sa déposition. C'est de la pure routine. Ensuite, nous voudrions parler à certains autres élèves.

Theo avait regardé assez d'émissions à la télévision pour savoir que ce genre de trajet au poste impliquait généralement d'être menotté à l'arrière de la voiture de police. L'espace d'un instant, l'idée l'amusa. Il n'avait jamais été menotté, ni vu la banquette arrière d'un véhicule de police, et toute cette aventure ferait un sujet de conversation amusant, le jour où il aurait été innocenté.

Mais toute trace d'amusement disparut à l'instant où Theo comprit que la rumeur se répandrait comme une traînée de poudre en ville et au collège – le monde entier saurait bientôt que Theo était le suspect numéro un.

— Les cours se terminent à 15 h 30, n'est-ce pas ? demanda Ike à Mrs. Gladwell.

— C'est exact.

— Bien. J'emmènerai Theo au poste de police à 4 heures, si cela vous convient. Je suis sûr que ses parents l'accompagneront.

Les policiers échangèrent un regard. Manifestement, ni l'un ni l'autre ne voulait contredire Ike à ce sujet.

— Quand est-ce que nous pourrons discuter avec les autres élèves ? demanda Vorman.

— À 15 h 30, je suppose, répondit Mrs. Gladwell.

— À qui sont les casiers à côté du tien, Theo ? demanda Hamilton.

— Woody, Chase, Joey, Ricardo, la plupart des copains de ma classe. Et celui de Darren est juste en dessous.

— Il faut qu'on demande au labo s'ils peuvent relever les empreintes sur cette zone, dit Vorman à Hamilton.

— D'accord, répondit son collègue. Et il faudra qu'on prenne les tiennes aussi, Theo. On pourra le faire cet après-midi quand tu viendras.

— Vous voulez mes empreintes ? demanda Theo.

— Bien sûr.

— Je n'en suis pas si sûr, intervint Ike. Il faut que j'en parle avec ses parents.

— Ça m'est égal, dit Theo. Prenez-les. Vous n'en trouverez aucune sur ces tablettes, parce que je ne les ai jamais touchées. Et si vous voulez me faire passer au détecteur de mensonges, allez-y. Je n'ai rien à cacher.

— Nous verrons, répondit Vorman.

Les policiers étaient soudain pressés de partir. Hamilton referma en hâte son calepin et le fourra dans sa poche.

— Merci pour votre temps, madame Gladwell, conclut-il en se levant. Et merci à toi, Theo, pour ta coopération. Monsieur Boone, très heureux de vous avoir rencontré.

Après leur départ, Theo s'assit sur la chaise libérée par Hamilton.

— Il faut encore que je vous parle d'autre chose, dit-il.

Ike s'effondra sur l'autre chaise. Sous le regard attentif de Mrs. Gladwell, Theo parla de ses deux crevaisons, dont l'une s'était produite au collège. Lorsque Theo raconta l'incident de la pierre qui avait atterri dans son bureau la veille, Ike déclara :

— Quelqu'un t'en veut.

— Sans blague, fit Theo.

9.

Sans surprise, la situation évolua brusquement lorsque la mère de Theo apprit la nouvelle. Theo l'appela pendant le déjeuner et, un quart d'heure plus tard, elle était au collège, dans le bureau de Mrs. Gladwell, à exiger des explications. Elle était furieuse que Theo ait été interrogé par la police en l'absence de ses parents, mais la principale l'assura que Theo s'en était bien tiré. Il s'était montré prudent dans ses réponses, donnant aux policiers aussi peu d'informations que possible. La fouille de son casier était inévitable, car le collège avait le droit de l'ouvrir pour n'importe quelle bonne raison. Selon le règlement, Mrs. Gladwell et les autres administrateurs devaient coopérer pleinement avec les forces de l'ordre dans toutes les situations.

Mrs. Boone voulut d'abord emmener Theo avec elle, le conduire à son bureau, puis à la police. Mais Mrs. Gladwell jugeait plus prudent d'attendre la fin des cours. Theo était déjà sorti de classe ce mercredi et, si cela se reproduisait, cela ne ferait qu'aiguiser les soupçons. Il fallait que tout ait l'air normal. Puis la principale aborda le reste de la semaine assez agitée de Theo. Il n'avait pas encore parlé à ses parents de ses pneus crevés ni du premier vol dans son casier. Sa mère, stupéfaite d'apprendre ces épisodes, se montra vraiment agacée que Theo n'en ait rien dit.

Avant de partir, Mrs. Boone demanda à la principale :

— Pourrez-vous ordonner à Theo de se rendre directement à notre cabinet après la classe ?

À 15 h 30, l'inspecteur Hamilton attendait dans la salle de Mr. Mount. Il lui avait demandé d'« inviter » Darren, Woody, Chase, Joey et Ricardo à rester un petit moment. En la présence de Mr. Mount, l'inspecteur eut un bref entretien avec chaque garçon, l'un après l'autre. Darren fut le premier. Après avoir repéré sur un agrandissement photographique où se trouvait exactement son casier, l'inspecteur demanda :

— À quelle heure est-ce que tu as ouvert ton casier pour la première fois, ce matin ?

— En arrivant au collège, juste avant l'appel.

— Et l'appel commence quand ?

— À 8 h 40.

— Pourquoi est-ce que tu es allé à ton casier ?

— Pour prendre des livres et en déposer, comme d'habitude.

— Est-ce que tu as vu Theo Boone à son casier, ce matin ?

Darren réfléchit une seconde puis répondit :

— Je ne crois pas. Je crois que Theo était déjà en classe.

— Qui as-tu vu près de ton casier, ce matin, tu t'en souviens ?

— Euh... Ricardo, peut-être Woody. Des copains. Je n'ai vraiment pas pris le temps de me demander qui je voyais, à ce moment-là. En général, on est pressés, il faut qu'on aille en classe.

— Est-ce que tu aurais vu quelqu'un près des casiers qui n'avait rien à y faire ? demanda lentement Hamilton.

— Comme qui ?

— Comme quelqu'un qui n'aurait pas dû se trouver près de vos casiers...

— Quelqu'un a fait quelque chose de mal ?

— C'est ce qu'on essaye de découvrir, Darren. Est-ce que tu as vu un inconnu près des casiers avant 10 heures ce matin ?

— Un inconnu ? Genre, un adulte ?

— Un adulte, un autre élève, quelqu'un qui, en temps normal, ne devrait pas se trouver près des casiers de ce côté-ci du hall...

Il y eut encore un silence, plus long. Puis Darren répondit :

— Non, monsieur, je n'ai rien vu.

— Rien d'inhabituel ?

— Non, monsieur.

Les entretiens d'Hamilton avec les autres élèves donnèrent les mêmes résultats. Seul Chase se rappelait avoir croisé Theo ce matin-là aux casiers, et non, Chase n'avait pas vu Theo enlever des livres ou d'autres objets de son sac. L'inspecteur Hamilton se garda bien de révéler ce qu'il avait trouvé dans le casier de Theo, ou de donner l'impression que leur ami était en fâcheuse posture.

À 16 heures ce mercredi, Theo, ses parents et Ike pénétrèrent dans le commissariat, à deux rues du tribunal. Ils furent accueillis par l'inspecteur Vorman, qui les fit descendre dans une petite pièce au sous-sol. Après leur avoir proposé des rafraîchissements – tout le monde refusa –, Vorman passa aux choses sérieuses. Il s'était déjà entretenu deux fois au téléphone cet après-midi avec Mrs. Boone, il n'y aurait donc pas de surprise.

Theo ferait une déposition volontaire, avec tous les conseils juridiques à disposition, et Vorman l'enregistrerait sur caméra et cassette audio. Theo avait assuré à ses parents qu'il n'avait rien à cacher et qu'il ne savait rien du cambriolage du magasin.

Theo commença par le lundi précédent et le premier incident avec son casier. Il mentionna les deux pneus crevés, ajoutant que Gil le réparateur pourrait confirmer ces détails. Il expliqua à nouveau qu'il n'en avait pas parlé à ses parents, parce qu'il n'en avait tout simplement pas eu le temps ni l'occasion. Il décrivit la grosse pierre qui avait brisé la vitre de son bureau la veille. Aidé par les questions faciles de Vorman, Theo en arriva enfin aux tablettes retrouvées dans son casier. Il s'y était rendu juste avant l'appel, comme toujours. Le hall était bondé et bruyant, comme la veille et l'avant-veille. Theo avait ouvert son casier avec son code et n'avait rien remarqué d'extraordinaire. Il avait fait bien attention au contenu, à cause de ce qui s'était passé le lundi. Il était certain que les tablettes Linx ne s'y trouvaient pas à ce moment-là. Il n'avait pas repéré de présence inhabituelle – aucun adulte inconnu, aucun élève d'une autre classe. À sa connaissance, personne n'était en possession de son code. Theo n'avait jamais entendu parler d'effractions similaires au collège.

Theo parlait avec lenteur et en choisissant ses mots, répétant ses déclarations lorsqu'on le lui demandait. À sa gauche se trouvait sa mère, à sa droite, son père. Ike était assis en bout de table, toujours irrité que la police ait osé soupçonner son neveu. L'inspecteur Hamilton, en face de Theo, prenait patiemment sa déposition. À côté de l'inspecteur, une caméra vidéo sur trépied enregistrait tout.

Theo fit un résumé précis et détaillé de sa brève rencontre avec l'agent Stu Peckinpaw le mardi soir, en expliquant les circonstances. Il était sûr de n'être jamais allé chez Big Mac. Il suggéra de vérifier les comptes du magasin pour prouver qu'il n'y avait jamais rien acheté.

Lorsqu'il eut terminé, Hamilton coupa la caméra et l'enregistreur et tout le monde se détendit. L'inspecteur expliqua qu'ils reportaient le relevé d'empreintes : ils n'en avaient trouvé aucune sur les trois tablettes. Il n'y avait donc rien à comparer avec celles de Theo.

— Quelqu'un s'est montré très précautionneux, dit Hamilton en regardant Theo. Il a tout effacé, et sans doute mis des gants.

Theo ne sut si Hamilton le soupçonnait encore. Comme tous les bons policiers, il restait impassible et se comportait comme si tout le monde pouvait être coupable.

— Et cet appel anonyme, demanda Ike, vous avez pu retrouver sa source ?

— Si on veut, répondit sèchement Hamilton.

Il était évident qu'il n'avait aucune envie de se faire bousculer par Ike.

— L'appel venait d'une cabine près de l'hôpital. Ce sera donc difficile de déterminer qui en est l'auteur.

— À quelle heure l'avez-vous reçu ? demanda Woods Boone.

— À 9 h 20.

— Ainsi, reprit Mr. Boone, si les tablettes ne se trouvaient pas dans le casier de Theo à 8 h 40, quand il l'a ouvert, alors le voleur les y a mises pendant la première heure de classe. Après avoir déposé les tablettes, soit il est parti du collège et a foncé à une cabine près de l'hôpital pour télé-phoner, soit il a fait savoir à quelqu'un au-dehors que sa mission était accomplie et qu'on pouvait contacter la police. C'est sans doute la seconde hypothèse qui est la bonne. C'est donc une petite bande qui est à l'œuvre dans les parages, et non une personne seule.

L'inspecteur Hamilton dévisagea Woods Boone, qui le dévisagea en retour.

— Vous devriez peut-être devenir policier, dit-il.

— Et vous, vous devriez peut-être reconnaître l'évidence. C'était un plan. Un coup monté. Je ne sais pas qui ni pourquoi, mais c'est clair que Theo n'avait rien à voir là-dedans. Pour l'instant, c'est une victime, pas un suspect.

— Je ne l'ai pas encore qualifié de suspect, monsieur Boone, répondit posément Hamilton. Le délit a moins de vingt-quatre heures, donnez-nous un peu de temps. Nous venons à peine de commencer l'enquête.

— Quelle est la suite des événements, en ce qui concerne Theo ? demanda Mrs. Boone.

— Il peut partir. Nous n'allons pas l'arrêter au milieu de la nuit. Si nous devons lui parler à nouveau, je vous appellerai.

Hamilton montrait des signes de nervosité, sans doute parce qu'une bande d'avocats le mettait sur le gril.

— Notre tâche est de suivre toutes les pistes pour savoir qui a commis ce délit. Nous ignorons si Theo dit la vérité. Il a certes l'air crédible, mais je suis policier et j'ai parlé à des tas de délinquants qui prétendaient être innocents. Peut-être qu'il l'est, et peut-être pas. Vous, vous n'en avez aucun doute, mais ce n'est pas comme ça qu'on travaille dans la police. Un jour, bientôt j'espère, nous en saurons beaucoup plus, et alors, j'aimerais pouvoir dire : « Theo, tu dis la vérité. » En attendant, je ne crois personne.

— Vous ne me croyez pas ? demanda Theo, blessé.

— Écoute, Theo, je ne sais pas si tu mens, ni si tu dis la vérité. C'est trop tôt pour que moi, en tant qu'inspecteur chargé de l'affaire, je puisse prendre cette décision. Nous n'avons pas beaucoup d'éléments dans cette affaire, pour l'instant, mais ce que nous avons t'accuse. Tu le comprends ?

Theo fit signe que oui, mais cela ne l'enchantait visiblement pas.

Hamilton jeta un œil à sa montre, referma un dossier et déclara :

— Je vous remercie d'être passés et, comme je l'ai dit, nous restons en contact.

Le petit groupe des Boone sortit du poste de police. Personne ne souriait.

Theo essayait de travailler à son bureau chez Boone & Boone, mais il n'arrivait pas à se concentrer. On avait installé une nouvelle vitre et enlevé les éclats de verre. Il n'y avait plus aucune trace des dégâts de la veille, mais Theo entendait encore le bruit de la fenêtre brisée, le coup sourd de la pierre heurtant l'étagère, le fracas, le jappement paniqué de Juge, suivi quelques secondes plus tard de ses aboiements furieux. Mais Theo entendait presque autre chose... Il pensait l'avoir entendu en rêve. Il pensait l'avoir entendu ce matin-là au collège pendant la première heure, avant l'arrivée de la police qui avait gâché sa journée. En fermant les yeux, il pouvait presque se voir à sa table avant que la pierre n'atterrisse dans la pièce – et puis, l'instant d'après, il entendait des bruits de pas. Quelqu'un qui courait. La personne qui avait lancé la pierre s'enfuyait non loin de là. « Si seulement j'avais pu l'apercevoir, se répétait Theo. Qui était ce mystérieux individu ? Était-ce un adulte ? Un autre élève ? Homme ou femme ? Un tireur isolé, ou appartenant à un gang ? »

Même Juge semblait un peu nerveux. Le premier retour sur la scène du crime rappelle toujours de mauvais souvenirs, et Theo n'arrivait pas à faire ses devoirs. Il finit par verrouiller la porte, jeta un œil par la nouvelle fenêtre, ne vit personne et quitta le bâtiment à vélo, Juge sur ses talons.

10.

La photo avait été envoyée d'un compte Gash-Mail anonyme à une dizaine d'élèves du collège. De là, elle se répandit rapidement, et le mercredi à 19 h 30, des centaines, voire des milliers de gens en ville l'avaient vue, et connaissaient toute l'histoire.

Le cliché avait été pris par un photographe qui avait veillé à rester anonyme et invisible ; à l'évidence, il s'était caché quelque part en face du poste de police au moment où Theo, ses parents et Ike en sortaient. La photo les montrait clairement tous les quatre, la mine soucieuse, et juste au-dessus d'eux, sur la façade de l'immeuble, s'étalaient les mots en lettres épaisses : COMMISSARIAT DE STRATTENBURG.

Une légende accompagnait la photo : « Theo Boone, âgé de treize ans et vivant au 886 Mallard Lane, quitte le commissariat de Strattenburg avec ses parents, après avoir été arrêté pour le cambriolage, mardi soir, du magasin d'informatique bien connu Big Mac Systems, en ville. Selon nos sources, la police a retrouvé les objets volés mercredi matin dans le casier de Boone, à son collège. Il doit être traduit devant le juge des mineurs la semaine prochaine. »

Comme toujours le mercredi soir, les Boone commandaient des plats chinois à emporter. Ils étaient dans le salon, installés avec leur plateau-repas devant la télévision. Juge, qui se considérait au moins comme à demi humain, était assis à côté de Theo, prenant de temps en temps une bouchée de crevette aigre-douce, sa préférée. Les Boone ne se parlaient presque pas pendant le dîner. Theo était éprouvé par les événements récents, qui semblaient faire boule de neige. Ses parents, inquiets, voulaient protéger leur fils. Mrs. Boone toucha à peine à son poulet *chow mein* alors que Mr. Boone dévorait son repas à belles dents, comme s'il était au tribunal à se battre pour prouver que Theo n'avait rien fait de mal.

Le téléphone portable de Theo vibra – un SMS arrivait. Il y jeta un œil. C'était April Finnemore, sa meilleure amie, qui lui disait : *TB, regarde tes emails tt de suite. Urgent.*

Ses parents n'appréciaient guère qu'il quitte la table en plein repas. Theo répondit donc, entre deux bouchées : *Qu'est-ce qui se passe ?*

April répondit : *Horrible. Urgent ! Va vite voir.*

OK, envoya Theo.

Il engloutit encore quelques bouchées, puis déclara :

— J'en peux plus.

Il se leva et partit à la cuisine avec ses couverts.

— Tu as fait vite, commenta sa mère.

Son père, lui, était plongé dans un autre monde.

Theo lava son assiette puis se précipita sur son sac, posé sur le comptoir de la cuisine. Quelques secondes plus tard, il était sur Internet. Il ouvrit sa boîte e-mail. Cliquant sur « Message Urgent de GashMail », il découvrit la photo. Claire et nette ; il n'y avait aucun doute sur l'identité du groupe sortant du commissariat. D'abord incrédule, Theo resta quelques secondes bouche bée, à se regarder sortant du commissariat. La stupeur fit bientôt place à la fureur – devant ces mensonges, cette fiction. Il n'avait pas été arrêté. Il ne devait pas comparaître devant le tribunal. Puis les questions se bousculèrent. Qui avait pris cette photo ? Où s'étaient-ils cachés ? Pourquoi raconter des mensonges aussi éhontés ? Combien de gens avaient-ils vu ce cliché ?

— Venez vite ! hurla Theo.

Ses parents foncèrent dans la cuisine et contemplèrent, sidérés, l'image sur l'écran. Une photo prise en cachette par un voyou, envoyée au monde entier, avec une légende truffée de mensonges. En tant qu'avocats, leur première réaction fut : que faire légalement pour arrêter ça, réparer les dégâts et traduire le coupable en justice ?

— C'est déjà partout, je suppose, dit Mrs. Boone.

— Sans doute, confirma Theo.

— C'est quoi, GashMail ? demanda Mr. Boone.

— C'est une espèce de serveur douteux qu'on utilise quand on ne veut pas se faire prendre. Il y a des tas d'e-mails inconnus qui partent de là, et c'est vraiment difficile de retrouver l'auteur.

— Donc, on ne pourra pas l'identifier ?

— Tout est possible sur Internet, mais ce serait cher et compliqué.

— Ah, Internet... grommela Mr. Boone d'un air écœuré, en contemplant le jardin obscur.

Theo s'assit à table, au bord des larmes.

— Ma vie est fichue, j'imagine.

— Tout ça peut s'expliquer, Theo, dit son père. Tes amis sauront la vérité. L'opinion des inconnus n'a aucune importance.

— C'est facile à dire pour toi, papa. Ce n'est pas toi qui devras affronter tous ces gars au collège, demain. Et tu ne sais pas à quelle vitesse vont les rumeurs sur Internet. La moitié de la ville est en train de regarder la photo en ce moment même, en me déclarant coupable.

La mère de Theo s'assit à côté de lui et lui tapota le bras.

— Tu n'es coupable de rien, Theo, et la vérité éclatera.

— Je n'en suis pas si sûr, maman. Tu as vu l'inspecteur Hamilton aujourd'hui. Il pense que je suis coupable. Et s'ils ne trouvent pas les vrais voleurs ? Et s'ils terminent leur enquête sans rien d'autre que moi, seulement moi et les trois tablettes volées retrouvées dans mon casier ? À un moment, il leur faudra bien inculper quelqu'un, et ça pourrait facilement être moi. J'ai rencontré le propriétaire du magasin aujourd'hui, celui qu'on appelle Big Mac, et crois-moi, il est convaincu de ma culpabilité et il veut ma peau. Il verra cette photo. Et la police aussi la verra. Ça sera encore plus facile de me croire coupable.

Les paroles de Theo créèrent une atmosphère pesante. Un long et lourd silence s'ensuivit. La réalité était-elle en train de s'imposer à eux ? Était-il possible que Theo soit bel et bien inculpé d'un délit ? Et une fois que la machine judiciaire était lancée, que pouvaient les Boone pour empêcher une issue terrible ?

Chaque tablette valait approximativement quatre cents dollars, pour un total de douze cents dollars. Or, lorsque la valeur combinée des biens volés dépassait les cinq cents dollars, alors l'infraction était considérée comme un délit, bien plus grave qu'une infraction mineure. Theo connaissait la loi ; cela faisait des heures qu'il étudiait les textes. Il avait même vérifié les codes et les statuts à son bureau, alors qu'il était censé faire ses devoirs. À partir de dix-huit ans, il risquait une inculpation pour délit. Cependant, comme il n'en avait que treize, l'affaire serait traitée par un tribunal pour mineurs, où les règles étaient différentes. Tout se passait de manière plus discrète. Ni les dossiers ni les audiences n'étaient publics. Il n'y avait pas de jury ; tout reposait sur un juge de ce tribunal. Les peines de prison étaient rares, et le plus souvent courtes.

Si ce désastre continuait et que Theo était condamné, il risquait quelques mois de centre de détention pour mineurs.

En prison ? Theodore Boone, condamné à de la prison ?

Scandaleux. Délirant. Disproportionné. Oui, c'était tout cela, mais l'esprit hyperactif de Theo était en roue libre.

Il s'aperçut soudain que sa mère lui parlait.

— Theo, la première chose à faire, c'est de riposter. En attaquant. Quand tu es dans ton droit, tu ne dois jamais reculer. Mets un message sur ta page personnelle pour dire la vérité. Envoie des e-mails à tous tes amis pour leur dire que cette photo et sa légende sont fausses. Demande à April, Chase, Woody et tous ceux en qui tu as confiance de répandre la vérité sur Internet. Fais savoir que nous, ta famille, envisageons des poursuites judiciaires.

— Ah bon ? demanda Theo.

— Bien sûr. Nous y réfléchissons. Peut-être que ça ne marchera pas, mais, au moins, nous y réfléchissons.

— Ta mère a raison, Theo, intervint Mr. Boone. Le moins que tu puisses faire, à ce stade, c'est te battre.

Cela plaisait à Theo. Il était resté paralysé pendant dix minutes, mais le temps d'agir était venu.

Une heure plus tard, les Boone étaient toujours attablés dans la cuisine, pianotant frénétiquement sur leurs ordinateurs en essayant de suivre la rumeur, tout faisant le maximum pour la contenir. C'était une bataille perdue. La photo et sa légende étaient trop croustillantes, et Theo constituait une cible idéale. Le fils unique de deux avocats réputés, arrêté pour cambriolage avec effraction. Pris la main dans le sac avec les objets volés dans son casier. Comme toutes les fausses rumeurs, elle gagnait en crédibilité à chaque répétition ; bientôt, elle devint presque un fait avéré.

Mr. Boone ferma son ordinateur et se mit à écrire sur son bloc-notes jaune. Theo avait toujours au moins cinq de ces blocs-notes sous les yeux, où qu'il se trouve dans la maison.

— Jouons un peu les détectives, lança Mr. Boone.

— OK, Sherlock Holmes, allons-y, répondit sa femme en fermant elle aussi son portable.

— D'abord, qui pourrait ouvrir le casier de Theo sans être vu ? demanda Mr. Boone. J'ai du mal à imaginer un inconnu, un adulte, entrant au collège en connaissant le code, et se rendant droit au casier pour l'ouvrir.

— D'accord, dit Mrs. Boone. Theo, as-tu déjà vu des professeurs, entraîneurs, hommes d'entretien ou d'autres adultes ouvrant des casiers ?

— Jamais. On ne les voit jamais autour des casiers. Les enseignants vont en salle des profs. Les gens de l'entretien ont des casiers au sous-sol, mais c'est interdit aux élèves. Les entraîneurs ont les leurs au gymnase.

— Donc, un adulte se ferait remarquer ?

Theo réfléchit un instant.

— Si on connaissait l'adulte, et s'il ouvrait l'un de nos casiers, alors c'est sûr qu'on s'en souviendrait. Ce serait inhabituel. Si c'était un inconnu, on lui ferait sans doute une remarque. Je n'en suis pas tout à fait sûr, parce que ce n'est jamais arrivé.

— Mais ça se passe entre les cours, quand les couloirs sont pleins de monde, non ? demanda Mr. Boone.

— Oui.

— Et quand vous êtes en classe et qu'il n'y a personne dans les couloirs ?

Theo réfléchit encore.

— Les couloirs sont rarement déserts. Pendant les cours, il y a toujours quelqu'un qui va quelque part – un élève avec une permission, un technicien, l'assistant d'un professeur...

— Et les caméras dans les couloirs ? demanda Mr. Boone.

— Ils les ont enlevées il y a quelques semaines pour installer un nouveau système.

— Ça m'a l'air trop risqué pour un adulte d'ouvrir le casier d'un élève, commenta Mrs. Boone.

— Je suis d'accord, dit Theo, mais tout délit comporte une part de risque, non ?

— Oui, mais est-ce que ce risque n'est pas beaucoup plus élevé pour quelqu'un qui n'utilise pas de casier, d'habitude ?

— Oui, affirma Mr. Boone. Et encore plus pour un étranger au collège. Je pense qu'il faut éliminer cette possibilité. C'est un coup monté de l'intérieur, par quelqu'un du collège.

Theo haussa les épaules, mais ne contredit pas son père ; sa mère non plus.

— Quelqu'un qui sait ouvrir le casier, reprit Mr. Boone. Quelqu'un qui a pu voler le code. Et quelqu'un qui a facilement accès au parking à vélos, où il faut deux secondes pour crever un pneu. Quelqu'un qui connaît la bicyclette de Theo, qui sait où il la gare. Quelqu'un qui connaît son emploi du temps et ses itinéraires. Quelqu'un qui connaît bien Theo et qui peut l'observer sans se faire repérer.

— Un autre élève ? demanda Theo.

— Exactement.

— J'ai du mal à croire qu'un jeune de treize ans puisse entrer par effraction dans un magasin d'informatique, éviter les caméras et sortir sans se faire voir, intervint Mrs. Boone, sceptique.

— C'est plus crédible qu'un technicien ou un assistant de prof, répliqua Mr. Boone.

Un long silence s'ensuivit, pendant lequel les trois détectives réfléchirent à cette hypothèse. Theo déclara enfin :

— Il avait un complice, non ? Rappelez-vous l'appel anonyme passé depuis une cabine près de l'hôpital. En plus, il faudrait au moins deux personnes pour transporter tout le matériel volé dans le magasin.

— Exactement, répéta Mr. Boone. Et pensez au savoir-faire technique nécessaire. Quelqu'un est entré dans les fichiers du collège pour récupérer le code. Quelqu'un a réussi à prendre une photo de nous cet après-midi à la sortie du commissariat, et a su utiliser ce GashMail pour la diffuser sans se faire prendre. À mon avis, ça ressemble à un jeune.

— N'importe qui peut lancer une pierre dans une vitre, observa Mrs. Boone.

— Oui, mais ça fait tout de même penser à un acte de jeune, non ?

Tous trois tombèrent d'accord.

— D'ailleurs, ajouta Theo, la plupart des élèves au collège, au moins les garçons, savent quand et où les scouts tiennent leurs réunions. Ça ne serait pas difficile de se glisser là-bas et de trouver mon vélo.

Les indices s'accumulaient.

— Combien y a-t-il d'élèves dans ton collège, Theo ? demanda Mrs. Boone.

— Cinq classes de la sixième à la troisième. Ça fait à peu près quatre-vingts par niveau, fois quatre, donc dans les trois cent vingt.

— Éliminons les filles, dit Mr. Boone. Je ne vois pas une fille crever des pneus ou lancer des cailloux dans les vitres.

— Je ne sais pas, papa. On a des dures, au collège.

— Fais-moi plaisir pour l'instant, Theo. On pourra reparler des filles plus tard.

— D'accord, maintenant, il nous reste cent soixante garçons. Par quoi on commence ?

La piste sembla se brouiller. Mr. et Mrs. Boone savaient que Theo était un élève apprécié, qui n'embêtait personne, ne se battait pas et n'avait pas d'histoires.

— On connaît tes amis, Theo, mais ce n'est qu'un petit groupe. On ne sait rien de la plupart des élèves. Pourquoi tu ne dresserais pas une liste de suspects ? Ceux avec qui tu as eu des désaccords. Ceux qui peuvent t'en vouloir pour quelque chose qui est arrivé récemment, ou il y a un an.

— Et l'équipe des débats, par exemple ? demanda Mrs. Boone. Tu n'as jamais perdu un débat. Peut-être qu'un perdant s'est vexé.

— Ou qu'un des autres scouts est jaloux, ajouta Mr. Boone.

Theo les écoutait, réfléchissant à toute allure, à la recherche d'ennemis potentiels.

— Il doit bien y avoir des élèves qui ne m'aiment pas, mais pourquoi en arriver là ? Ils dépassent les bornes, comme s'ils avaient un compte à régler – un compte dont j'ignore tout.

— En effet, dit Mrs. Boone.

— Réfléchis-y, Theo. Fais une liste de tes principaux suspects, et nous en reparlerons à dîner demain.

— J'essayerai, dit Theo.

11.

Jeudi matin. Theo était parfaitement éveillé quand son réveil sonna à 7 h 30. Il sentait un nœud à l'estomac et il était sûr de ne pas être en état d'aller en cours. Il contempla le plafond, attendant que son malaise empire, dans l'espoir qu'un vrai spasme nauséeux le fasse vomir. Il avait aussi mal à la tête, et il se persuada qu'une migraine arrivait, même s'il n'en avait jamais eu. Les minutes s'écoulèrent, et à son grand regret son état n'empira pas.

Comment pourrait-il aller au collège et affronter toute cette suspicion ? Comment survivre aux blagues, aux taquineries, aux railleries ? S'il y avait jamais eu un jour parfait pour sécher l'école et se faire porter pâle, c'était celui-là.

Juge fut le premier à bouger. Il bondit de sous le lit, prêt à partir. Theo l'envia. Il passerait sa journée au cabinet, à sommeiller près du bureau d'Elsa, à errer d'une pièce à l'autre et à dormir dans le bureau de Theo, attendant son retour du collège. Pas de souci, pas de stress, aucune peur d'être suivi ou harcelé. Quelle vie ! se dit Theo. La vie d'un chien. Ce n'était pas juste.

Theo s'assit sur le rebord du lit, attendit encore un instant, dans l'espoir de vomir, mais dut reconnaître qu'il se sentait mieux. Juge restait là à le regarder. Il entendit des bruits de pas dans le couloir, puis on frappa doucement à la porte.

— Theo, demanda sa mère à voix basse, tu es réveillé ?

— Oui, m'dame, répondit Theo d'une voix faussement éraillée, comme s'il rendait son dernier soupir.

Elle entra et s'assit à côté de lui.

— Tiens, je t'ai apporté une tasse de chocolat chaud.

Theo la prit. L'arôme était fort et délicieux.

— Tu as bien dormi ? s'inquiéta Mrs. Boone, qui portait encore son gros peignoir et ses pantoufles roses préférées.

— Pas vraiment, dit Theo. J'ai encore fait ce cauchemar...

— Parle-m'en, demanda sa mère en lui ébouriffant les cheveux.

— C'était un rêve vraiment bizarre. Ça ne voulait rien dire du tout, et ça durait, et ça durait. Je m'enfuyais, poursuivi par des policiers, des tas de policiers, avec des pistolets et tout. J'étais sur mon vélo, je m'échappais, je les semais, et tout à coup ils ont tiré dans mes pneus. Alors, j'ai jeté le vélo dans un fossé et j'ai couru à travers bois.

Ils se rapprochaient de plus en plus, les arbres autour de moi étaient criblés de balles, et ils avaient des chiens aussi, des chiens qui étaient sur mes talons. Quelqu'un a crié : « Hé, Theo, par ici. » J'ai couru dans cette direction et c'était Pete Duffy, dans une camionnette. J'ai sauté à l'arrière et on est partis, toujours sous une grêle de balles. Il roulait comme un fou, je valdinguais à l'arrière, et tout à coup on s'est retrouvés dans la grand-rue et les gens criaient : « Allez, Theo, allez ! », et tout ça. Derrière nous, il y avait des voitures de police avec des sirènes et des gyrophares. On a forcé un barrage et on allait s'enfuir quand les flics ont dégommé nos quatre pneus.

Theo s'arrêta pour prendre une gorgée de chocolat. Juge le contemplait avec une seule idée en tête : où est le petit déjeuner ?

— Tu as réussi à t'enfuir ? demanda la mère de Theo, qui semblait amusée par cette histoire.

— Je ne sais pas. Je ne crois pas que j'ai terminé le rêve. On courait dans des ruelles, et chaque fois qu'on tournait le coin il y avait encore plus de policiers, et ils nous tiraient tous dessus. On aurait dit une petite armée. Il y avait une section spéciale, et même un hélicoptère au-dessus de nous. Pete Duffy répétait sans cesse : « Ils ne nous attraperont pas, Theo. Continue à courir, c'est tout. » On a traversé le tribunal à toute allure. Il était plein de gens au milieu de la nuit, et on s'est dirigés vers la rivière. On a décidé de passer le pont. À mi-chemin, on a vu une équipe spéciale de l'autre côté qui fonçait droit sur nous. On s'est arrêtés. Derrière nous, il y avait des policiers et des chiens partout. Pete Duffy m'a dit : « Il faut qu'on saute, Theo », et j'ai répondu : « Non. » Il a grimpé sur la balustrade et il allait sauter quand il a été touché de tous les côtés. Il est tombé en hurlant, et j'ai assisté à sa chute jusqu'à ce qu'il touche l'eau. Il y avait des gens en bateau, et ils ont poussé des hourras en le voyant plonger, puis ils ont crié : « Saute, Theo, saute ! » Les policiers se rapprochaient des deux côtés. Les chiens grondaient, les sirènes hurlaient, les coups de feu retentissaient. J'ai levé les mains comme pour me rendre, puis en une demi-seconde j'ai sauté par-dessus la balustrade – qui devait faire plus de deux mètres –, mais c'était un rêve, hein ? On aurait dit un plongeur aux jeux Olympiques volant dans les airs. Pendant ma chute, je faisais plein de figures, je ne sais pas où je les ai apprises. La rivière était loin en contrebas, mais elle se rapprochait de plus en plus.

— Et qu'est-ce qui s'est passé ? demanda Mrs. Boone.

— Je ne sais pas. Le plongeon a duré long-temps, et je me suis réveillé avant de toucher l'eau. J'ai essayé de me rendormir pour finir le plongeon, mais ça n'a pas marché.

— C'est sympa, ton rêve, Theo. Beaucoup d'action et de suspense.

— C'était pas sympa, sur le moment. J'étais mort de peur. Tu t'es déjà fait tirer dessus par la police ?

— Non. Tu pensais à des ennemis éventuels, des gens qui pourraient t'en vouloir.

Theo réfléchit un instant.

— Allons, maman ! Les jeunes n'ont pas d'ennemis, non ? Écoute, il y a toujours des gens que nous n'aimons pas et qui ne nous aiment pas, d'accord ? Mais il n'y a personne que j'appellerais un « ennemi ».

— D'accord. Quel est l'élève qui t'aime le moins, alors ?

— Betty Ann Hockner.

— Et quelle est son histoire ?

— On a eu un débat il y a plusieurs mois, garçons contre filles. Le sujet, c'était le contrôle des armes à feu. On s'est pas mal échauffés, mais c'est resté correct. On a gagné le débat et ça l'a vraiment énervée. Par la suite, j'ai su qu'elle m'avait traité de « con » et de « champion du coup bas ». Depuis, je la croise presque tous les jours, et elle me regarde comme si elle voulait m'égorger.

— Tu devrais aller lui parler, Theo.

— Pas question.

— Et pourquoi pas ?

— J'ai peur qu'elle m'égorge.

— Est-ce qu'elle serait capable de crever tes pneus et de jeter une pierre dans une vitre ?

— Pas vraiment... répondit Theo. C'est une fille bien, mais elle n'a pas beaucoup d'amis. J'ai un peu de la peine pour elle. Ce n'est pas elle, notre suspect.

— Qui, alors ?

— Je ne sais pas. Je dois encore y réfléchir.

— Allez, va plutôt te préparer pour l'école.

— Je me sens pas bien, maman, j'ai la nausée et la migraine. Je ferais mieux de rester au lit aujourd'hui, je crois.

La mère de Theo, parfaitement incrédule, lui ébouriffa les cheveux.

— Quelle surprise ! Tu sais, Theo, si tu ne passais pas ton temps à t'inventer des maladies pour sécher l'école, je pourrais te croire de temps en temps.

— L'école, c'est ennuyeux.

— En tout cas, ce n'est pas facultatif. Si tu veux étudier le droit, il y a un règlement qui dit que tu dois avoir terminé tes études secondaires.

— Montre-le-moi.

— Je viens de l'inventer. Écoute, Theo, ce sera peut-être un peu dur aujourd'hui. Il y aura des rumeurs, et sans doute des blagues. Je sais que tu préférerais éviter ça, mais c'est impossible. Serre les dents et garde la tête haute. Tu n'as rien fait de mal. Il n'y a rien qui puisse te faire honte.

— Je sais.

— Et souris. Le monde est un endroit plus beau quand tu souris.

— Ça risque d'être difficile, aujourd'hui.

Theo gara son vélo à un endroit différent, près de la cafétéria. Au moment de l'attacher, il ne put s'empêcher de regarder autour de lui pour

voir si quelqu'un l'observait. Ces vérifications deve-
naient une habitude, et il en avait assez.

Il était 8 h 20. Il retrouva April Finnemore à
la cafétéria, où les élèves déposés en avance par
les bus scolaires pouvaient se réunir, prendre un
jus de pomme ou étudier. April était une amie,
une amie proche, mais pas une petite amie. Theo
lui faisait plus confiance qu'à tous les autres, et
c'était réciproque. La vie familiale d'April était un
chaos permanent, avec un père qui allait et venait,
une mère au moins à moitié folle, et des frères
et sœurs plus âgés qui s'étaient déjà enfuis de la
ville. April aussi voulait partir, mais elle était bien
trop jeune. Elle rêvait de devenir artiste et de
vivre à Paris.

— Comment vas-tu ? lui demanda-t-elle.

Ils étaient assis au bout d'une longue table,
aussi loin des autres élèves que possible.

Theo serra les dents, leva la tête et répondit :

— Très bien. Tout va bien.

— Cette histoire est partout sur Internet. Ça
ne fait que se répandre.

— Écoute, April, je n'y peux rien. Je suis innocent. Qu'est-ce que je peux bien y faire ? Tu veux
un jus de pomme ?

— Bien sûr.

Theo traversa la cafétéria pour aller prendre
deux verres de jus offerts sur le comptoir. Il revenait vers April lorsqu'un groupe de cinquième
commença à marteler :

— Coupable ! Coupable ! Coupable !

Theo se tourna vers eux et leur fit un grand sourire métallique bien ironique, comme s'il trouvait ça drôle. Le plus virulent était un nommé Phil Jacoby, un dur d'un quartier difficile de la ville. Theo le connaissait, mais ils ne se fréquentaient pas. Quelques autres s'étaient joints au chœur – mais le temps que Theo se rasseye, ils s'étaient tus. Ce n'était plus drôle.

— Pauvres types, siffla April en fusillant les garçons du regard.

— Ne leur prête aucune attention, dit Theo. Si tu réponds, ça ne fait qu'aggraver les choses.

D'autres élèves arrivèrent, déposant lourdement leurs sacs sur les tables.

— Qu'est-ce que la police va faire, ensuite ? chuchota presque April.

— Terminer l'enquête, répondit Theo à voix basse, jetant un regard aux alentours. Il n'y a pas d'empreintes digitales sur les tablettes retrouvées dans mon casier, donc ils en déduisent que le voleur est rusé. Avant de le savoir, ils voulaient chercher des empreintes dans mon casier, mais désormais ils se disent que c'est une perte de temps. Il faut garder à l'esprit que c'est un délit mineur, April. Les flics ont des soucis bien plus importants.

— Comme de retrouver Pete Duffy.

— Exactement. Sans parler des affaires de drogue et des autres délits plus graves. Ils ne vont pas passer trop de temps sur ce cambriolage. Ce n'est pas si important.

— Sauf si c'est toi l'accusé. Ne me dis pas que tu n'es pas inquiet d'avoir été la victime de ce coup monté.

— Bien sûr que je suis inquiet, mais je fais confiance à la police et aux tribunaux. Il faut faire confiance au système, April. Je suis innocent et je le sais. La police trouvera les véritables voleurs et je serai blanchi.

— C'est aussi simple que ça ?

— Oui, je crois.

La bande des cinquième passa dans son dos. Phil Jacoby lança :

— Hé, les gars, attention à vos sacs. Theo le Voleur est dans la salle.

Ses copains mugirent de rire mais ne s'arrêtèrent pas. Les autres regardaient Theo méchamment. Deux d'entre eux posèrent la main sur leur sac.

— Mon Dieu, soupira Theo abattu. Me voilà avec un nouveau surnom, j'imagine.

— Pauvres types.

Theo eut du mal à serrer les dents et à garder la tête haute. La journée serait bien longue, en effet.

La bagarre éclata quelques minutes plus tard, au moment où Theo fermait son casier. Le fauteur de troubles était un autre « caïd », un certain Baxter, de la quatrième de Mme Monique. Son casier était près de celui de Theo. Baxter arriva dans son dos et lança :

— Hé, comment ça va, le taulard ?

Baxter s'attira quelques rires, mais pas autant qu'il escomptait. Il s'arrêta pour sourire à Theo.

L'erreur de Baxter avait été d'ouvrir sa grande bouche au moment où Woody fermait lui aussi son casier. Woody pivota et lui lança sèchement :

— Boucle-la !

Personne ne cherchait des noises à Woody. Il avait deux grands frères qui faisaient du karaté et du football américain ; ils étaient réputés se battre pour un oui ou pour un non. Chez Woody, le conflit physique était permanent, avec des vitres, des meubles et parfois des os brisés. En tant que benjamin, Woody avait servi de punching-ball, et il appréciait une bonne bagarre contre quelqu'un de sa taille. Il n'avait jamais harcelé personne, mais il avait le coup de poing et la menace faciles.

Mais Baxter avait sa propre réputation de dur, et il ne pouvait pas reculer en public.

— Me dis pas de la boucler, répliqua-t-il. Si je veux traiter Theo de taulard, je le traiterai de taulard.

Woody marchait déjà sur Baxter et, à ce stade, il était inévitable que la situation dégénère sérieusement. Un frisson d'excitation parcourut le hall quand les autres élèves comprirent que, tels des duellistes de western, ni l'un ni l'autre n'allait reculer.

Theo regarda autour de lui, dans l'espoir de voir Mr. Mount ou un autre professeur, mais aucun adulte n'était en vue à ce moment crucial.

— C'est bon, Woody, c'est bon.

Mais ce n'était pas bon pour Woody. Il foudroya Baxter du regard.

— Retire ça.

— Ah, non, répliqua Baxter. Quand tu voles et que tu te fais arrêter, alors, t'es un taulard.

Il faisait toujours le dur, mais ses yeux s'agrandissaient. Pourtant, son œil gauche allait se refermer...

Woody lança un crochet du droit qui toucha Baxter en pleine figure. Baxter, il faut le reconnaître, réussit à décocher un solide coup de poing avant que les deux adversaires ne s'empoignent pour rouler au sol. Les bagarres étaient rares au collège ; il ne fallait pas en manquer une bonne. Une foule se rassembla presque aussitôt. Tout le monde criait : « Baston ! Baston ! » dans le hall. Woody et Baxter glissaient sur le sol carrelé, griffant et crachant comme deux chats.

L'acolyte de Baxter était un avorton du nom de Griff, et, comme tous, il savait que dans quelques secondes, Woody prendrait le dessus et commencerait à refaire le portrait de Baxter. Donc Griff, pour protéger son ami, prit la décision idiote de se joindre au combat. Poussant une sorte de cri de bataille improvisé, il se jeta dans le dos de Woody. Theo et les autres en restèrent stupéfaits.

Les bagarres entraînaient une exclusion automatique. Le règlement du collège était clair et tous les professeurs insistaient sur les dangers du combat. Le châtiment, décidé par Mrs. Gladwell, variait selon les circonstances. Une bousculade dans la cour de récréation pouvait entraîner une exclusion d'une journée, avec trois heures de retenue. Un vrai match de boxe avec lèvres fendues et nez en sang pouvait déboucher sur trois jours d'exclusion, la privation des activités périscolaires, et un mois de mise à l'épreuve.

Theo n'était pas un combattant. Il s'était battu pour la dernière fois à la fin du primaire, avec Walter Norris, à la piscine municipale. Mais là, alors qu'il observait pétrifié la bagarre qui se déroulait sous ses yeux, il éprouva le désir brutal d'intervenir. Après tout, son ami Woody se battait pour défendre son honneur. Le moins que Theo pouvait faire, c'était d'aller à son secours. Une exclusion, ce ne serait peut-être pas la fin du monde. Ses parents seraient fous furieux, mais ils finiraient par se calmer. Qu'est-ce que sa mère lui avait dit, hier soir ? « La première chose à faire, c'est de riposter. En attaquant. »

Ike serait fier de lui.

Parfois, il faut se battre.

Theo jeta son sac, poussa un cri que lui-même ne comprit pas, et sauta dans la mêlée.

12.

Baxter était assis d'un côté de la table avec Griff, et Woody avec Theo de l'autre. Les deux parties se faisaient face ; la tension diminuait à mesure que la réalité s'imposait. Baxter, l'œil gonflé et complètement fermé, pressait une vessie à glace du côté gauche de son visage. C'était horrible à voir. Malgré son sentiment de fierté, Woody réprima son sourire. Avec l'exclusion qui arrivait et la colère de ses parents, impossible de sourire. Le visage de Griff était indemne, tout comme celui de Woody. Theo avait la lèvre inférieure enflée, avec une tache de sang séché. Il la tapotait de son mouchoir. Mais c'était surtout un mal de tête lancinant, dû à un coup de pied décoché dans le tas par Baxter ou Griff, qui le faisait souffrir. Theo n'en parla pas.

Assis en bout de table, Mr. Mount dévisageait les quatre garçons. Il les avait sèchement séparés et les avait entraînés dans la bibliothèque puis dans la petite salle d'études où ils reprenaient leur souffle. À mesure que le temps s'écoulait, les jeunes bagarreurs se calmaient. Leur respiration ralentissait, leur rythme cardiaque revenait à la normale. Rien de tel qu'une bonne bagarre pour accélérer la circulation.

— Qu'est-ce qui s'est passé ? demanda enfin Mr. Mount.

Les quatre belligérants contemplaient obstinément la table. Rien. Pas un mot.

— Est-ce que ça pourrait avoir un rapport avec la rumeur selon laquelle Theo a été arrêté hier ? demanda Mr. Mount en regardant Theo bien en face.

Theo ne leva pas les yeux.

Mr. Mount savait que Woody était une tête brûlée et que Baxter était un faiseur d'histoires. Il était aussi parfaitement conscient que Griff suivait Baxter comme un chiot. Cependant, il n'aurait jamais cru que Theo Boone déclencherait une bagarre, ou s'en mêlerait. Mais Mr. Mount avait été jeune lui aussi, et il comprenait. À son avis, Baxter et Griff s'en étaient pris à Theo, et Woody avait défendu son ami.

On entendit des voix à l'extérieur.

— Je pense que Mrs. Gladwell est ici, déclara Mr. Mount. Je ne voudrais pas être à votre place.

Là-dessus, il se leva et quitta la pièce. Dès que la porte se fut refermée, Woody gronda :

— On balance pas, d'accord ? Je rigole pas : on balance pas. Pas un mot.

À peine eut-il parlé que la porte s'ouvrit en grand. Mrs. Gladwell entra, furieuse. D'un seul coup d'œil, les garçons surent qu'ils étaient morts.

Elle s'assit lentement en bout de table, les fusillant du regard. Mr. Mount entra discrètement à sa suite, ferma la porte et resta là, le dos appuyé au mur, en qualité de témoin.

— Ça va, Baxter ? demanda la principale avec un brin de compassion.

Baxter fit signe que oui.

— Et Theo ? C'est du sang, sur ta lèvre ?

Theo fit signe que oui.

Mrs. Gladwell se raidit, prit un air encore plus sévère et commença :

— Bon, je veux savoir ce qui s'est passé.

Personne ne cilla. Les sept yeux (Baxter n'en ayant qu'un seul de fonctionnel à ce stade) étaient fixés sur un point fascinant, quoique invisible, de la table. Silence. Les secondes s'écoulaient. Mrs. Gladwell rougissait de colère.

— Les bagarres sont un manquement très grave à la discipline, les sermonna-t-elle. Nous ne les tolérons pas dans ce collège, et vous le savez depuis votre arrivée en sixième. Les bagarres entraînent une exclusion automatique. Cette exclusion sera portée dans votre dossier et y demeurera de manière permanente.

« Pas vraiment », pensa Theo. Bien sûr, l'exclusion pouvait rester dans le dossier, mais elle ne le suivrait pas après le collège. Aucune université ou faculté de droit, aucun employeur potentiel ne saurait qu'un élève avait été exclu pour s'être battu en quatrième.

— Theo, dit sévèrement Mrs. Gladwell, je veux savoir ce qui s'est passé. Regarde-moi, Theo.

Theo se tourna lentement vers le visage assez effrayant de la principale.

— Dis-moi ce qui s'est passé, ordonna-t-elle.

Theo, incapable de soutenir son regard, se concentra sur le mur, mâchoire serrée.

Des quatre, Theo était un meneur ; Griff, un suiveur ; Woody et Baxter accompagnaient généralement le groupe. Si Theo se taisait, les trois autres l'imiteraient. Ce fut la première erreur de Mrs. Gladwell.

Pour résoudre une affaire face à plusieurs accusés, mieux vaut les séparer. À la place de la principale, Theo aurait isolé Griff dans une petite pièce avec plusieurs adultes à la mine sombre — des administratifs, des entraîneurs, des gens avec du pouvoir et de l'autorité. Ils auraient expliqué à Griff que les trois autres s'étaient mis à table, avant de s'en prendre à lui : « Griff, Baxter dit que tu embêtais Theo » et : « Griff, ils disent que c'est toi qui as frappé en premier. » Et ainsi de suite. Au début, Griff ne les aurait pas crus, mais au bout de quelques minutes de harcèlement, il aurait fini par parler. Une fois qu'il aurait donné sa version, on lui aurait dit qu'elle ne collait pas avec celle des autres ; et que c'était donc lui le menteur. En mentant, il ne faisait qu'aggraver son cas. Le mensonge, en plus de la bagarre, entraînait une exclusion et une mise à l'épreuve encore plus longues. Griff aurait alors désespérément cherché à faire reconnaître son histoire comme véridique. Une fois cette stratégie utilisée sur les quatre garçons, ils auraient avoué et on aurait connu la vérité.

Cela impliquait bien sûr que les autorités mentent aux suspects, mais la loi autorise cette tactique. En revanche, la stratégie de Mrs. Gladwell reposait sur la franchise ; elle n'apprendrait rien des garçons. Theo était content qu'elle ne maîtrise pas ces règles élémentaires d'interrogatoire policier.

Toujours muet, Theo se tourna à nouveau vers la table. Il refusait de parler, de dénoncer : ils plongeraient donc tous les quatre.

Mrs. Gladwell reprit :

— Baxter, qui t'a frappé à l'œil ?

Baxter posa sa vessie à glace sur la table. Son œil s'était un peu dégonflé. Il faillit répondre : « Je ne sais pas », mais il se retint. Bien sûr, il le savait. Mais il n'y avait aucun intérêt à mentir à ce stade. Il fallait juste garder le silence, comme Theo, et subir l'interrogatoire.

Il y eut un long silence. Mrs. Gladwell attendait. L'atmosphère était lourde de menaces. Aucun des garçons n'avait été exclu auparavant, même si Woody et Baxter avaient déjà été mis à l'épreuve deux ou trois fois.

Mrs. Gladwell avait été informée tôt ce matin-là qu'Internet bruissait de rumeurs : Theo aurait été arrêté pour vol, il irait au tribunal. Elle avait vu la photo postée sur GashMail. Elle avait prévu de voir Theo dans la journée pour lui proposer son aide. Et voilà que lui incombait la désagréable tâche de l'exclure, lui comme les trois autres.

Mrs. Gladwell déclara enfin :

— Je soupçonne Baxter ou Griff d'avoir fait une allusion aux problèmes de Theo avec la police, peut-être à son arrestation, ou un commentaire de ce genre. Comme Woody et Theo sont dans la même classe et sont bons amis, je soupçonne Woody d'être intervenu et d'avoir déclenché la bagarre. J'ai raison, Griff ?

Griff sursauta comme si on l'avait giflé, mais il se reprit aussitôt et garda le silence. Il serra les dents. Pas un mot.

Mrs. Gladwell attendit, encore et encore – puis elle se dérida. Les garçons voulaient jouer ? Elle aussi.

— Baxter ?

Baxter pianota nerveusement sur la table, mais garda le silence.

— Les garçons, nous pouvons rester ici toute la matinée, dit la principale.

Derrière elle, Mr. Mount réprima un sourire. Il admirait secrètement les garçons de se protéger mutuellement et d'affronter ensemble le châtiment.

— Monsieur Mount, voulez-vous bien emmener Baxter, Griff et Woody dehors ? demanda la principale. Je veux parler en privé à Theo.

Sans un mot, les trois garçons suivirent Mr. Mount. La porte se referma. Theo se sentit totalement seul.

— Regarde-moi, Theo, dit doucement Mrs. Gladwell.

Theo obéit.

— Je sais que tu as passé une mauvaise semaine, dit la principale. Tu as l'impression que c'est toi la victime. Tu as la police après toi. Quelqu'un essaye de te faire accuser pour le cambriolage. Quelqu'un te suit. Quelqu'un te harcèle. Il y a ta photo partout sur Internet, avec tes parents, à la sortie du commissariat. On raconte des mensonges. Des rumeurs folles. Je comprends tout cela, Theo. Je suis de ton côté, et j'espère que tu le sais.

Theo fit signe que oui.

— Et je suis certaine que ce n'est pas toi qui es à l'origine de cette bagarre. Je veux que tu me dises exactement ce qui s'est passé, d'accord ?

— J'ai participé à une bagarre, dit Theo.

— Mais est-ce que tu l'as déclenchée, Theo ?

— J'ai participé à une bagarre, et c'est interdit par le règlement.

Malgré son envie de détourner les yeux, Theo réussit à soutenir le regard de Mrs. Gladwell. Elle était déçue, blessée même, et Theo se sentit minable. Il la considérait comme une amie, une alliée, un dépositaire de l'autorité qui essayait de l'aider – et il ne pouvait rien lui donner en échange.

Après un long silence tendu, Mrs. Gladwell reprit :

— Donc, tu ne vas pas me dire ce qui s'est passé ?

Theo fit non de la tête – ce qui accentua sa migraine.

Puis arriva la question cruelle :

— Qu'est-ce que tes parents vont penser quand je les appellerai pour leur dire que tu as été exclu pour t'être battu ?

— Je ne sais pas, articula péniblement Theo, horrifié à cette idée.

Ce serait bien pire d'affronter ses parents que de recevoir un coup à la tête. Il croisa le regard de Mrs. Gladwell et sentit comme un coup de poignard à l'estomac.

— D'accord. Tu peux sortir.

Theo bondit de sa chaise et quitta la pièce. Il croisa les trois autres et se posa l'index sur les lèvres. Bouche cousue. Je n'ai rien dit, et vous non plus.

Baxter fut le suivant. Il revint dans la salle et s'assit comme s'il risquait d'être exécuté.

— Est-ce que tu as dit à Theo qu'il avait des problèmes avec la police ?

Pas de réponse.

— Est-ce que tu l'as taquiné ou agacé ?

Pas de réponse.

— Est-ce que c'est Woody qui t'a frappé au visage ?

Pas de réponse.

— Theo, alors ?

Rien.

— Sors, veux-tu, et envoie-moi Woody.

Baxter sortit, vit les trois autres et fit le même geste que Theo. Personne ne parle.

Tandis que Mrs. Gladwell passait Woody sur le gril, Theo, Griff et Baxter étaient assis sur un banc sous la surveillance de Mr. Mount, qui avait de la peine pour eux. C'étaient tous de braves enfants et les exclusions ne feraient aucun bien. Mais le règlement, c'était le règlement.

Des quatre, Woody était le moins susceptible de craquer, et il refusa de répondre à la moindre question de Mrs. Gladwell. Lorsqu'elle lui demanda s'il avait frappé Baxter, il répondit :

— Nom, grade et matricule seulement.

— Très drôle, Woody. Tu crois que c'est un jeu ?

— Non.

— Tu as porté le premier coup ?

— Je refuse de m'incriminer, répondit Woody.

— Sors.

Griff était le maillon faible. Lorsqu'il eut subi la petite séance de questions-réponses avec Mrs. Gladwell, et refusé de parler, elle réunit les quatre garçons dans la pièce.

— Très bien, commença la principale. Je vais vous exclure tous les quatre : une journée pour la bagarre, et une autre pour votre refus de coopérer. Aujourd'hui, nous sommes jeudi et votre exclusion durera jusqu'à demain soir. Vous retour-

137

nerez en cours lundi, avec une mise à l'épreuve de trente jours. Toute infraction commise pendant cette période entraînera une exclusion d'une semaine.

La perspective de manquer les cours pendant deux jours ne dérangeait pas vraiment Theo, mais celle d'affronter ses parents, beaucoup plus. Il eut envie d'appeler Ike avant, parce qu'il le comprendrait et le féliciterait sans doute d'avoir fait front. Peut-être qu'Ike pourrait apprendre la nouvelle aux parents de Theo et amortir le choc. Theo réfléchissait à cette option quand Mrs. Gladwell ajouta :

— Je vais téléphoner à vos parents.

Il fallut une heure pour accomplir les formalités de l'exclusion. Les garçons restèrent dans la même pièce, face à face, tandis que Mr. Mount s'ennuyait en bout de table. Il sortit prendre un café, et Baxter en profita pour dire :

— Désolé, Theo.

— Pas de problème.

Woody ne s'excusa pas.

Les parents de Woody et de Baxter travaillaient ; personne n'était à la maison en journée. Mrs. Gladwell expliqua qu'ils seraient « exclus sur place », et devraient donc se trouver dans des salles d'études séparées au collège, de 8 h 40 à 15 h 30, heure de la fin des cours. Ils seraient seuls, sans rien d'autre à faire que des devoirs supplémentaires. Pas de téléphones ni d'ordinateurs portables, uniquement des manuels. Cela

138

semblait bien pire que l'exclusion traditionnelle, quand on devait quitter l'établissement. En revanche, la mère de Griff étant femme au foyer, il pouvait rester à la maison, sans doute faire la grasse matinée, regarder la télévision, jouer avec le chien et profiter de sa liberté, sauf si, bien sûr, ses parents étaient suffisamment furieux pour le punir. Theo avait lui aussi un endroit où aller : le cabinet Boone & Boone.

Sa mère était au tribunal. Ce fut donc son père qui alla le chercher au collège. Dans la voiture, Theo demanda :

— Et mon vélo ?

— On le récupérera plus tard, répondit son père.

Pour l'instant, il se montrait d'un calme et d'un sang-froid remarquables, du moins en surface.

Une ou deux rues plus loin, son père lui demanda :

— Qu'est-ce qui s'est passé ?

— C'est juste entre nous, d'accord ?

— Qu'est-ce qui s'est passé, Theo ? répéta sèchement son père.

— Tu ne le diras pas à Mrs. Gladwell, d'accord ? Je ne peux pas dénoncer les autres.

— Non. Dis-moi ce qui s'est passé, c'est tout.

Theo lui raconta tout en détail. Lui qui n'avait pas pu donner sa version de l'histoire au collège se libéra enfin. Lorsqu'il eut fini, ils arrivaient sur le petit parking de Boone & Boone.

— Tu m'en veux, papa ? demanda Theo.

— Tu connaissais le règlement, et tu l'as enfreint, répondit sévèrement Mr. Boone.

— C'est vrai, mais à ce moment-là, je n'avais pas le choix.

Mr. Boone coupa le contact.

— C'est ce que je pense aussi.

13.

Theo était assis dans l'obscurité de son bureau, lumières éteintes, stores baissés. Seul avec Juge, il ruminait ses pensées et se demandait ce qui allait encore arriver. Dans une heure ou deux, sa mère reviendrait du tribunal. Elle s'enfermerait avec son père pour avoir une de ces conversations d'un sérieux mortel, comme celles que seuls les parents inquiets peuvent avoir. Puis on viendrait le chercher comme un criminel et le spectacle commencerait. Il aurait droit à un sermon. Sa mère pleurerait. Exclu du collège ! Comment avait-il pu faire une chose pareille ? Et ainsi de suite. Theo était fatigué à cette seule pensée.

La première réaction de son père l'avait un peu réconforté. Il n'y avait eu aucun drame – il faut dire que son père les appréciait peu. Pas de hurlements, mais Woods Boone était trop décontracté pour hurler. Pas de menaces, pas de punitions supplémentaires, mais Theo savait que ses parents discutaient toujours ensemble avant de délivrer un verdict écrasant.

Quelques heures plus tôt, Theo n'aurait jamais rêvé d'être exclu de l'école. Il n'y avait jamais pensé et, en y réfléchissant, il se demanda si cela en valait la peine. Il croyait au respect des règles. Il n'appréciait pas de décevoir Mrs. Gladwell et Mr. Mount. Ses parents risquaient d'en être gênés, et cela le perturbait. Et, pour être honnête, il n'avait trouvé aucun plaisir à cette violence, à cette mêlée frénétique où les quatre combattants avaient échangé insultes et coups de pied, de poing et de griffes sous le regard stupéfait ou excité d'autres élèves.

D'un autre côté, il ressentait un certain orgueil de s'être porté au secours d'un ami attaqué à deux contre un. Il avait vu l'admiration dans le regard des spectateurs, ses camarades de classe et ses amis. Lui, Theo Boone, accusé à tort, avait contre-attaqué pour défendre sa réputation et pour protéger un ami.

Et quel ami ! Theo ne put s'empêcher de sourire en revoyant l'affrontement, émerveillé de la vitesse et de la témérité de Woody, qui était intervenu pour faire taire Baxter. De plus, Theo avait l'intuition que Woody n'en avait pas fini. Il attendrait très certainement Baxter en dehors du collège pour lui fermer l'autre œil. Theo espérait ne plus se retrouver mêlé à une bagarre, mais dans le cas contraire, il voulait avoir Woody à ses côtés.

On frappa doucement à la porte.

— Entrez, dit Theo.

C'était Elsa, les yeux rouges, des larmes coulant sur ses joues. Elle actionna l'interrupteur et lui tendit les bras.

— Theo, je suis tellement désolée !

— C'est bon, c'est bon... dit Theo.

C'était la dernière chose dont il avait envie : un drame chez ceux qu'il aimait. Il supporta les embrassades d'Elsa.

— Je vais bien. C'est rien, d'accord ? dit-il, agacé.

Elsa se redressa et s'essuya les joues.

— Je n'y crois pas. Tu es le plus gentil gamin du monde.

— Probablement pas. Dans le top cinq, peut-être. Non, Elsa, ça va.

— Qui t'a attaqué ?

— Personne. C'était juste une bagarre stupide, d'accord ? Pas de quoi en faire un drame.

Elsa sembla enfin comprendre que sa compassion n'était guère appréciée.

— Je t'aime toujours, Theo, dit-elle, comme s'il avait tué quelqu'un.

— Tout va bien, Elsa, c'est bon. Et maintenant, tu veux bien sortir d'ici ?

Elle partit et Theo éteignit la lumière. Juge et lui retournèrent à leurs pensées moroses, occupation assez plaisante, d'ailleurs. Cinq minutes s'écoulèrent et on frappa à nouveau.

— Oui, dit Theo.

La porte s'ouvrit et Dorothy, la secrétaire de son père, pénétra dans la pièce. Elle actionna l'interrupteur et demanda :

— Ça va, Theo ?

— Oui, répondit-il sèchement.

Pendant une bonne seconde, il eut peur qu'elle se jette sur lui pour le gratifier d'une embrassade maladroite. Comme s'il avait besoin de son soutien physique.

— Je n'arrive pas à y croire. Pourquoi est-ce que le collège t'exclurait ?

— Parce que j'ai participé à une bagarre, tout simplement. C'est contraire au règlement.

— Oui, mais Theo, ce n'était sûrement pas ta faute.

Theo regarda par la fenêtre. Combien de fois devrait-il expliquer ce qui s'était passé !

— Ça n'a pas d'importance. Une bagarre, c'est une bagarre.

Après un silence gêné, Dorothy conclut :

— En tout cas, si tu as besoin de te confier, je suis au bout du couloir.

— Merci.

« Bien sûr. Je vais me soulager auprès de tout adulte assez vieux pour être ma mère. »

Dorothy s'en alla et Theo éteignit la lumière. Son téléphone sonna : c'était un texto d'April Finnemore.

AF : *Je viens d'apprendre. Ça va ?*

TB : *Oui. Au cabinet. Pas cours. Super.*

AF : *Tes parents ?*

TB : *Maman tribunal. Papa pas trop mal.*

AF : *T'as frappé qui ?*
TB : *Pas sûr. Grosse mêlée.*
AF : *Blessures ? Sang ?*

Theo regretta soudain que son courage ne lui ait pas valu plus de séquelles. Il ne put s'empêcher d'exagérer un peu, et répondit :
TB : *Lèvre fendue. Sang.*
AF : *Trop beau ! Je vois ça quand ?*
TB : *Plus tard. T'as des devoirs.*

Là-dessus, Theo retourna à ses pensées moroses. Cinq minutes plus tard, on frappa à la porte. Avant que Theo ne réagisse, Vince entra et alluma la lumière. Avec lui, c'était le cabinet Boone & Boone au complet qui était venu saluer Theo. Sauf, bien sûr, Marcella Boone, qui arriverait bien assez tôt.

Vince était l'assistant de Marcella depuis de nombreuses années. Il s'acquittait des corvées concernant les affaires de divorce, et ce n'était pas toujours agréable. Cela impliquait de passer beaucoup de temps hors du bureau, à enquêter pour des clientes, à espionner leurs maris, et à vérifier les faits présentés. Theo savait depuis longtemps que les clients de divorce ne disaient souvent pas la vérité à leurs avocats, et c'était à Vince de s'assurer de leur histoire. C'était un célibataire de trente-cinq ans, un gars sympa avec un travail difficile.

Elsa était entrée dans la pièce en pleurant. Dorothy semblait au bord de la crise de nerfs. Mais pas Vince. Il souriait, le dos appuyé à la porte.

— Bien joué, Theo. Tu lui en as mis une bonne ?

Theo sourit enfin. Puisqu'il devrait raconter cent fois son histoire, alors pourquoi ne pas l'enjoliver un peu ?

— Ouais, répondit-il.

— Impeccable. Tu vois, Theo, tu viens d'apprendre une leçon importante. Parfois, on est obligé de se défendre, quelles que soient les circonstances.

— Je ne pouvais pas reculer.

— L'exclusion, ce n'est pas un drame, tant que ça ne devient pas une habitude. Ça m'est arrivé en sixième, ajouta Vince.

— Sans blague ?

— Sans blague. J'ai grandi à Northchester et on allait à pied à l'école. Il y avait une petite brute qui s'appelait Jerry Prater, un dur, et il me pourrissait la vie. Une fois par semaine, il m'attrapait dans la cour avant la classe, il me jetait par terre, me donnait des coups de pied et me volait mon déjeuner. Il prenait les meilleurs trucs, les frites, les barres chocolatées, les sandwichs au jambon, et me laissait les pommes et les carottes. Le lendemain, il faisait la même chose à un de mes copains. Il devait toujours avoir faim, j'imagine !... En tout cas, il nous gâchait l'existence. J'avais un grand frère au collège, et il m'a expliqué que ces types sont en fait des lâches, et que, si on ne leur résiste pas, ça empire. Mon frère m'a expliqué quoi faire. J'ai caché mon déjeuner dans mon sac et j'ai rempli mon Tupperware de cailloux. Le lendemain matin, j'ai vu Jerry dans la cour et je suis allé le voir. Il allait me décocher un coup de poing, mais tout à coup je lui ai donné un grand coup de Tupperware dans la figure. Vraiment fort. C'était méchant, je lui ai ouvert la joue. Il est tombé en hurlant, et je l'ai encore tapé trois ou quatre fois à la tête. Les autres commençaient à s'attrouper, et un professeur est arrivé en courant. On a emmené Jerry chez le docteur et il l'a recousu. Dix-huit points de suture, dont dix sur la pommette. Tout le monde m'a hurlé dessus et mon père est arrivé pour me récupérer. Je lui ai expliqué la situation et ça ne lui a pas posé de problème. Ma mère a pleuré, mais c'est ce que font toutes les mères. Jerry m'a laissé tranquille après ça.

— C'est super. Combien de temps, l'exclusion ?

— Une semaine. J'ai été un héros un petit moment, mais après j'ai eu des remords. Jerry Prater méritait de se faire taper, mais il a gardé une cicatrice au visage. Ça a été ma dernière bagarre, Theo. J'ai résisté à une brute, mais avec une arme. J'aurais dû me servir de mes poings et de rien d'autre. J'ai encore des remords.

— Qu'est-ce qui est arrivé à Jerry ?

— Il a fini par quitter le lycée et, plus tard, il est allé en prison. On ne lui a pas laissé beaucoup de chances dans la vie. Bref, toi, tu as fait ce qu'il fallait, ne t'inquiète pas trop.

— Je ne veux pas que maman me crie dessus.

— Elle ne le fera pas. Je connais bien cette femme, Theo.

Après son départ, Theo s'endormit et Juge partit en quête de nourriture.

Ils se retrouvèrent dans la salle de réunion à l'heure du déjeuner. Theo était assis au bout de la longue table imposante, un parent de chaque côté. Devant lui, un sandwich poulet-salade qu'il n'avait aucune envie de manger. Son appétit avait disparu.

Sa mère ne souriait pas, mais elle ne criait pas non plus. Mr. Boone et elle avaient visiblement tenu une petite réunion à huis clos à propos de leur fils et de son exclusion ; Mrs. Boone avait donc surmonté le choc.

— Si cela se reproduisait, Theo, que ferais-tu différemment ? demanda-t-elle avec calme en sirotant son thé glacé.

Theo mâchonna une feuille de laitue en étudiant la question, qu'il trouvait intéressante.

— Je ne sais pas trop, maman. Je n'ai rien pu faire pour empêcher la bagarre, tout a démarré si vite... et je ne pouvais pas non plus séparer Woody et Baxter, ils étaient vraiment à fond. Quand Griff a sauté sur Woody, j'ai eu l'impression de ne pas avoir le choix. Woody se battait pour moi. La moindre des choses, c'était de l'aider.

— Donc, tu ne ferais rien différemment ?

— Je crois que non.

— Cela signifie-t-il que ce petit épisode ne t'a rien appris ?

— J'ai appris que je n'aime pas me battre. Ce n'est pas très agréable de se prendre des coups de poing dans la figure et des coups de pied dans la tête. Je connais quelques types qui aiment se battre, mais pas moi.

— C'est une leçon intéressante que tu as apprise, commenta Mr. Boone en mangeant son sandwich.

Mrs. Boone s'apprêtait à sermonner Theo quand Elsa frappa à la porte, ouvrit et déclara :

— Désolée de vous déranger, mais la police est là.

— Pourquoi ? demanda Mr. Boone.

Theo aurait aimé disparaître sous la table.

— Ils veulent parler à Theo – et à ses parents, bien sûr.

Les inspecteurs Hamilton et Vorman étaient de retour. Le déjeuner interrompu, ils prirent place d'un côté de la table et posèrent une grosse enveloppe blanche devant eux. Les Boone s'installèrent de l'autre côté.

— Désolé de vous importuner à l'heure du déjeuner, dit Hamilton. On passait pour bavarder avec Mr. et Mrs. Boone, et on a su que Theo était là. Une exclusion ?

— C'est exact, répondit sèchement Mrs. Boone, visiblement irritée.

— Une exclusion pour quel motif ?

— Je serai heureuse de vous répondre si vous arrivez à me convaincre que cela vous concerne.

Cela ne les concernait pas, et Hamilton rougit sous le regard agacé de son équipier.

« Vas-y, maman », se dit Theo. Avec un avocat de chaque côté, il se sentait en sécurité. Pourtant, il était nerveux. Il s'assit sur ses mains pour les empêcher de trembler.

— Je suis sûr que vous nous rendez visite pour une bonne raison, dit Mr. Boone.

Vorman se pencha vers eux.

— Oui, en fait, nous voulions parler à Theo de la casquette de base-ball volée dans son casier ce lundi. Tu veux bien nous la décrire, Theo ?

Theo interrogea ses parents du regard. Tous deux lui firent signe de répondre.

— Elle est bleu marine, réglable, avec une visière rouge et le logo des Twins sur le devant, au milieu.

— Une idée de la marque ? demanda Vorman.

— Nike.

— Un moyen de l'identifier ?

— Il y a mes initiales T.B. sous la visière.

— Comment les as-tu écrites ?

— Au marqueur noir.

Vorman ouvrit lentement l'enveloppe, en sortit une casquette et la fit glisser sur la table.

— C'est la tienne ?

Theo la prit, l'examina rapidement et répondit :

— Oui, monsieur.

— Où l'avez-vous trouvée ? demanda Mrs. Boone.

— Au magasin d'informatique de Big Mac. Le ménage est fait tous les mercredis soir, après la fermeture. Hier, alors qu'ils nettoyaient les sols, quelqu'un a trouvé la casquette sous le comptoir. Le voleur est entré vers 21 heures mardi, et il était tellement pressé de se servir et de s'enfuir qu'il a perdu son couvre-chef.

Theo avait envie de pleurer. Voilà que sa casquette préférée était utilisée comme preuve contre lui. C'était si injuste. Les éléments s'accumulaient. Bizarrement, il entendait la voix insupportable de Baxter : « Taulard, taulard. »

L'espace d'un instant, ses parents restèrent pétrifiés. Theo était muet. Les inspecteurs les regardaient avec une satisfaction sinistre, l'air de dire : « Tu es pris. Voyons comment tu vas essayer de t'en tirer, cette fois. »

Mrs. Boone s'éclaircit la voix et dit :

— Il semblerait que ce voleur soit très malin. Il a soigneusement prévu son coup, dans l'intention d'accuser Theo. Lundi, il a volé la casquette pour la laisser sur place, et mercredi, il est revenu au casier avec les objets volés.

— C'est une théorie, répliqua Vorman, et vous avez peut-être raison. Mais nous travaillons aussi sur une autre théorie : Theo portait sa casquette mardi soir, peut-être pour masquer son visage en pénétrant dans le magasin vers 21 heures – et nous savons qu'il se trouvait dans le voisinage à ce moment-là, il le reconnaît lui-même. Il se précipite pour prendre les tablettes, les téléphones

151

et les ordinateurs et il perd la casquette que voici. Et, bien sûr, mercredi, nous retrouvons une partie du butin dans son casier.

— C'est difficile d'écarter Theo comme suspect, ajouta Hamilton.

— Très difficile, renchérit Vorman. En fait, dans nos enquêtes, il y a rarement autant de preuves contre un suspect.

Hamilton saisit la balle au bond :

— Theo, nous trouvons étrange que tu n'aies pas signalé ce premier vol dans ton casier lundi. Ce type de vol est rare au collège, et pourtant tu n'en as pas parlé. Et tu ne nous as donné aucune bonne raison pour expliquer ce silence.

Vorman :

— Peut-être qu'en vérité, ton casier n'a pas été visité lundi. Quand tu t'es fait prendre avec les tablettes volées mercredi, tu as dit que quelqu'un l'avait ouvert pour y laisser les tablettes. Et pour que ça ait l'air crédible, tu as inventé une petite histoire comme quoi on avait ouvert ton casier deux jours plus tôt.

Hamilton :

— Mais il n'en existe aucune trace. Aucune preuve.

Vorman :

— Et ce mystérieux voleur n'a été vu par personne au collège. Difficile à croire, avec quatre-vingts élèves de quatrième et des dizaines d'enseignants, sans parler des autres membres du personnel, des couloirs pleins de monde, tout ça. Vraiment difficile à croire.

Hamilton :

— Une histoire incroyable, à mon avis.

Ce jeu de ping-pong donnait la nausée à Theo. Il ferma les yeux, serra les dents, et se força à ne pas pleurer.

— Vous ne croyez pas mon fils ? demanda Mrs. Boone.

Pour Theo, c'était évident que non.

— Disons juste que l'enquête se poursuit, répondit Vorman.

— Vous avez vérifié les empreintes sur la casquette ? demanda Mr. Boone.

— Oui. C'est difficile d'obtenir des empreintes nettes sur du tissu, et nous n'y sommes pas parvenus. Les gars du labo sont sûrs qu'il n'y en a pas. Apparemment, le voleur portait des gants et a fait très attention. Pas d'empreintes sur les tablettes, ni sur la casquette, ni dans le magasin.

— Vous pensez inculper Theo ? demanda Mrs. Boone.

— Nous n'avons pas encore pris de décision, dit Hamilton, mais je crois pouvoir dire que nous en prenons le chemin.

Les Boone assimilèrent la nouvelle en silence. Mr. Boone poussa un soupir en levant les yeux au plafond. Mrs. Boone griffonna quelques mots sur un bloc-notes. Theo luttait toujours contre les larmes. Il savait qu'il était innocent, qu'il disait la vérité, mais la police ne le croyait pas. Il se demandait même si ses parents, eux, le croyaient.

Vorman brisa le silence en annonçant d'autres mauvaises nouvelles :

— Nous aimerions perquisitionner chez vous.

Mr. et Mrs. Boone le dévisagèrent avec incrédulité.

— Pourquoi ? demanda Mr. Boone.

— Pour trouver des preuves. Le reste des objets volés.

— Vous ne pouvez pas nous traiter comme des délinquants de droit commun, dit Mrs. Boone avec colère. C'est scandaleux.

— Nous ne donnerons pas notre autorisation, ajouta Mr. Boone.

— Nous n'en avons pas besoin, répondit Vorman avec un vilain sourire. Nous avons un mandat.

Il tira quelques papiers pliés de sa poche et les leur tendit. Mrs. Boone chaussa ses lunettes et lut le document de deux pages. Quand elle eut fini, elle le tendit à son mari. Theo essuya une larme du revers de la main.

14.

Ils pinaillèrent sur des détails pendant la demi-heure qui suivit. L'atmosphère était lourde. Les échanges entre les inspecteurs et les parents de Theo se faisaient plus tendus. Il fut finalement décidé que les Boone ne rentreraient pas chez eux avant 17 heures ; à ce moment-là, ils retrouveraient les policiers, qui procéderaient à la perquisition.

Les seuls mots que Theo parvint à dire furent :

— C'est une perte de temps. Il n'y a rien.

Son père et sa mère lui ordonnèrent de se taire.

Après le départ d'Hamilton et de Vorman, Theo put enfin parler. Il répéta à ses parents qu'il n'était impliqué d'aucune manière dans le cambriolage, et que cette perquisition était une perte de temps. Tous trois étaient stupéfaits de la tournure que prenaient les événements. Theo n'avait jamais vu ses parents si désorientés, et même effrayés. Ils prirent la décision de demander conseil à un ami avocat pénaliste, et Mrs. Boone quitta la salle de réunion pour l'appeler.

À 14 heures, Mr. Boone ramena Theo au collège, où ils retrouvèrent Mrs. Gladwell. Theo présenta ses excuses pour la bagarre. Mr. Boone dit que sa femme et lui comprenaient la décision d'exclure Theo, et qu'elle ne leur posait aucun problème. Ils étaient déçus, bien sûr, mais ils soutenaient Mrs. Gladwell. Ensuite, Theo monta sur son vélo, aux pneus intacts, et revint au cabinet.

Ses parents s'occupaient de clients et d'affaires urgentes. Ils avaient fermé leur porte et semblaient avoir oublié Theo. Elsa, Vince et Dorothy étaient également plongés dans des piles de papiers qui avaient l'air bien plus fascinants qu'une conversation avec un gamin de treize ans. Ou peut-être que Theo était trop sensible. Il se retira finalement dans son bureau avec Juge, où il tenta péniblement de faire ses devoirs. En vain. Il pensait sans cesse à Spike Hock – un jeune en troisième ; il avait été pris à vendre de la drogue à côté de chez lui. Spike avait passé dix-huit mois très désagréables dans un centre de détention pour mineurs, à trois cents kilomètres de là. Theo ne le connaissait pas et ne lui avait jamais parlé, mais il avait entendu bien des histoires sur sa vie derrière les barbelés. Des gangs, des passages à tabac, des gardiens sadiques. Une longue et vilaine liste. Spike ne s'en remit jamais et retourna à la rue. Theo l'avait vu au tribunal : Spike, alors âgé de dix-sept ans, avait été condamné en tant qu'adulte à vingt ans de prison pour une multitude de délits. Spike avait témoigné, imploré la clémence, affirmant que ses problèmes étaient dus aux mauvaises expériences qu'il avait connues au centre de détention.

Spike était un petit dur de la rue. Pas Theo. Theo était un gentil garçon issu d'une bonne famille, un boy-scout, un excellent élève avec plein d'amis. Comment pourrait-il survivre, enfermé avec des membres de gangs et autres brutes ? Séparé de ses parents, de ses amis, de Juge. La peur obnubilait Theo. Il s'allongea sur le petit lit de Juge et, heureusement, s'endormit à côté de son chien.

La sonnerie de son portable le réveilla. C'était April Finnemore.

— Theo, où es-tu ? demanda-t-elle nerveusement.

— Au bureau, dit-il, en se levant d'un bond. Quoi de neuf ?

— Je suis au tribunal pour animaux avec ma mère et Miss Petunia. Nous avons besoin de ton aide.

— Je suis un peu aux arrêts, je crois.

— Allez, Theo. On a vraiment peur, là, on a besoin de toi. Ça ne prendra pas longtemps.

— Je n'ai jamais dit que j'aiderais cette femme.

— Je sais, Theo, je sais. Mais elle est affolée, elle a besoin d'aide. S'il te plaît, Theo. Elle ne peut pas se payer un vrai avocat et... elle pleure depuis une heure. Je t'en prie.

Theo réfléchit une seconde. Personne ne lui avait explicitement ordonné de rester au cabinet.

Tout le monde était ultra-occupé et il ne manquerait sans doute à personne.

— D'accord, dit-il, avant de couper la communication. Reste ici, Juge.

Il se faufila par la porte arrière, fit rapidement le tour du bâtiment et prit son vélo en silence. Dix minutes plus tard, il s'arrêtait devant le tribunal.

Miss Petunia faisait pousser des fleurs et des herbes derrière sa petite maison, à la limite de Strattenburg. Tous les samedis matin, de mars à octobre, elle apportait ses plantes au marché paysan de la ville à Levi Park, près de la rivière. Là, elle rejoignait des dizaines de fermiers, jardiniers, fleuristes, pêcheurs, laitiers, producteurs et autres vendeurs qui proposaient leurs denrées dans des stands bien alignés sur de petits carrés de terrain, soigneusement répartis et administrés. Comme Miss Petunia vendait ses produits depuis de nombreuses années, elle avait un excellent emplacement, juste à l'entrée. À côté d'elle se trouvait May Finnemore, l'excentrique mère d'April, qui vendait du fromage de chèvre. Miss Petunia était bizarre elle aussi et, au fil des ans, les deux femmes étaient naturellement devenues amies.

Le marché connaissait un très grand succès à Strattenburg. Le samedi matin par beau temps, la moitié de la ville s'y pressait. On y trouvait presque toutes les denrées comestibles. Le Tortilla Hut de Crispino était, depuis toujours, le stand préféré, devant lequel, dès 10 heures, une longue queue se formait. Martha Lou vendait ses biscuits au gingembre « mondialement célèbres » par kilos, et attirait toujours la foule. Le marché permettait à de nombreux vendeurs d'engranger assez de revenus pour l'année, et il y avait une liste d'attente pour obtenir un stand.

Mais Mrs. Boone passant peu de temps à la cuisine, sa famille ne s'intéressait guère au marché. Theo et son père jouaient dix-huit trous de golf le samedi matin, débutant à 9 heures et déjeunant à 13. Pour Theo, c'était bien plus important que d'acheter des tomates et des hamburgers végétariens.

Miss Petunia avait été convoquée au tribunal à cause de Lucy, son lama domestique adoré. April en avait parlé à Theo la veille, pendant le déjeuner, mais Theo était trop préoccupé par ses propres problèmes pour s'inquiéter de ceux de Miss Petunia. À la demande d'April, il avait malgré tout effectué quelques recherches sur les décrets municipaux. Après avoir transmis le résultat à April, il avait considéré que l'affaire était close, du moins pour lui.

Certain d'être déjà repéré et sujet de toutes les rumeurs en ville, en particulier au tribunal, Theo entra par une petite porte et fila par un escalier de service. Le tribunal pour animaux se trouvait au sous-sol, ce qui convenait bien à cette forme inférieure de justice. Les vrais avocats essayaient de l'éviter. Les plaignants pouvaient plaider eux-mêmes, et c'était ce qui intéressait Theo. Enfin, la plupart du temps. Ce jour-là, l'idée d'apparaître au tribunal ne l'enthousiasmait guère.

Pour la première fois de sa vie, ce mot « tribunal » signifiait un endroit à éviter.

Dans la salle d'audience, des chaises pliantes étaient installées de part et d'autre d'une allée poussiéreuse. À sa droite, Theo vit April, sa mère May et une troisième personne qui devait être Miss Petunia. Elle avait des cheveux mauves et des lunettes rondes de grand-mère, à la monture orange vif. April l'avait décrite comme « plus bizarre que ma mère ».

Theo s'assit et entama une discussion à voix basse avec les deux femmes.

Le juge Yeck n'était pas là. De l'autre côté de l'allée, plusieurs personnes attendaient. L'une d'elles était Buck Boland, mieux connu sous le nom de Buck Bla-Bla, vêtu de son uniforme habituel marron foncé trop serré, celui d'All-Pro Securit. Buck l'arborait en tous lieux, en service ou pas ; lorsqu'il avait arrêté Theo dans sa cour ce lundi matin, il le portait aussi. Saisissant le guidon de Theo, il avait menacé le jeune homme. Auparavant, il lui avait jeté une pierre. Et voilà qu'il le fusillait du regard, comme s'il avait envie de l'étrangler.

Le très vieux greffier du juge Yeck était assis à sa table dans un coin, faisant des mots croisés pour rester éveillé. Au bout de quelques minutes, le juge fit son apparition en lançant :

— Restez assis.

Personne n'avait fait mine de se lever. Au tribunal des animaux, également surnommé « Cour du minou », on se dispensait des formalités. Le juge portait sa tenue habituelle : jeans, bottes militaires, pas de cravate et vieille veste de sport. Il se comportait avec son dédain coutumier pour son travail. Il avait autrefois appartenu à un cabinet d'avocats mais, incapable de garder un emploi, il s'occupait du tribunal des animaux parce que personne d'autre ne voulait le faire.

— Eh bien, eh bien, commença-t-il avec un sourire, revoici Mr. Boone.

— Bonjour, monsieur le juge, dit Theo en se levant. C'est toujours un plaisir de vous voir.

— Pareillement. Qui est votre client ?

— Miss Petunia Plankmore, la propriétaire de l'animal.

Le juge Yeck parcourut quelques papiers, puis regarda Buck Bla-Bla.

— Et qui est Mr. Boland ?

— C'est moi, répondit Buck.

— Très bien. Les parties peuvent s'avancer, nous allons essayer de régler cette affaire.

Theo connaissait la procédure. Accompagné de Miss Petunia, il passa la petite barrière qui séparait le juge de la salle, pour s'asseoir à une table. Buck les suivit et s'installa aussi loin d'eux que possible. Le juge Yeck déclara alors :

— Monsieur Boland, vous avez porté plainte contre Miss Petunia. Vous parlerez en premier. Restez assis et dites-nous ce qui s'est passé.

161

Buck jeta un coup d'œil nerveux autour de lui, puis se lança :

— Eh bien, monsieur le juge, je travaille pour All-Pro Security et nous avons le contrat du marché paysan.

— Pourquoi est-ce que vous portez une arme à feu ? demanda le juge.

— Je suis agent de sécurité.

— Ça m'est égal.

— Et j'ai un permis.

— Ça m'est égal. Je n'autorise pas les armes à feu dans mon tribunal. Veuillez l'ôter.

Buck enleva l'étui de sa ceinture et le posa sur la table, le pistolet à l'intérieur.

— Ici, dit Yeck en indiquant son bureau.

Buck s'avança maladroitement et posa son arme là où on lui avait demandé. C'était un très gros pistolet.

— Vous pouvez continuer, dit Yeck.

— Et donc, c'est mon travail d'assurer la sécurité du marché. On est deux, Frankie et moi. Il travaille à l'extrémité ouest, et moi, je surveille l'entrée. Ça fait quelques mois. Miss Petunia, elle, a un stand près de l'entrée. Elle vend des fleurs et des herbes et, juste à côté, il y a un petit espace libre où elle met son lama.

— Lucy, donc ? demanda le juge.

— Oui, monsieur. Il y a deux samedis, je passais devant son stand, comme d'habitude, je faisais mon travail, rien de plus, quand le lama arrive et me dévisage. On est à peu près à la même hauteur, le lama et moi, et au début je me suis dit qu'il allait essayer de m'embrasser.

— Le lama embrasse les gens ? coupa le juge.

— C'est un lama très gentil, il adore les gens, enfin, la plupart des gens, intervint soudain Miss Petunia.

Le juge Yeck se tourna vers elle et lui dit d'un ton poli mais ferme :

— Vous aurez l'occasion de vous exprimer dans un moment. Merci de ne pas nous interrompre.

— Désolée, monsieur le juge.

— Reprenons.

Rentrant son ventre imposant, Buck continua :

— Oui, monsieur, ce lama embrasse les gens, en particulier les petits enfants. Moi, je trouve ça plutôt dégoûtant, mais il y a souvent des gens qui tournent autour pour l'admirer et, de temps en temps, il se penche pour embrasser quelqu'un.

— D'accord, d'accord. Nous avons établi que Lucy le lama aime embrasser les gens. Avançons.

— Eh bien, monsieur, comme je disais, le lama est arrivé vers moi. Nous nous sommes regardés pendant quelques secondes, puis le lama a levé le museau bien haut, ce qui montre qu'il n'est pas content, il a reculé la tête et il m'a craché à la figure. Et pas quelques gouttes. C'était dégoûtant, ça collait et ça puait.

— Le lama crache sur les gens ? demanda le juge Yeck, amusé.

— Oh oui, monsieur le juge, et il l'a fait en un clin d'œil. Je n'ai rien vu venir.

May Finnemore, la mère d'April, était une femme peu discrète aux manières dénuées de raffinement ; on pouvait compter sur elle pour faire ce qu'il ne fallait pas. Elle se mit à rire, sans le moindre effort pour le cacher.

— Cela suffit, dit sévèrement le juge Yeck – qui lui-même semblait lutter contre l'hilarité. Continuez, monsieur Boland, s'il vous plaît.

— Il y avait des gosses qui regardaient, et ils devaient savoir que le lama crachait, et dès que c'est arrivé, ils ont éclaté de rire. C'était très gênant et ça m'a mis en colère. Alors, après m'être essuyé la figure, je suis allé voir Miss Petunia et je lui ai dit ce qui s'était passé. Elle a répondu : « Eh bien, Lucy ne vous aime pas ». Et j'ai déclaré : « Je me moque qu'elle m'aime ou pas, elle n'a pas le droit de cracher sur les gens, en particulier les agents de sécurité. » Miss Petunia ne s'est pas excusée le moins du monde, en fait, je pense qu'elle trouvait ça drôle.

— Est-ce que ce lama est en laisse, ou enfermé d'une manière ou d'une autre ?

— Non, monsieur. Il erre près du stand de Miss Petunia, c'est tout. Il y a toujours des gosses qui le caressent ou qui s'agitent autour. Donc j'ai discuté avec Miss Petunia pendant quelques minutes et j'ai compris qu'elle n'avait pas l'intention de faire quoi que ce soit. J'ai donc décidé de m'éloigner pour me calmer et me laver la figure. Mais je gardais un œil sur le lama, et je crois que c'était réciproque. Une partie de mon travail consiste à surveiller l'entrée principale. Parfois, les gens essayent de partir avec des trucs qu'ils n'ont pas payés... et donc il faut que je veille sur leur honnêteté, vous voyez ce que je veux dire, monsieur le juge ?

— Bien sûr.

— Et donc, environ une demi-heure plus tard, je suis à mon travail et je repasse devant le stand. Je n'ai rien dit, ni à Miss Petunia ni au lama. Je me suis arrêté pour parler à Mr. Dudley Bishop, et tout à coup, j'ai senti quelque chose dans mon dos. Mr. Bishop s'est arrêté de parler. Je me suis retourné et c'était encore le lama. Il me regardait. Avant que je puisse reculer, il m'a craché à la figure pour la seconde fois. C'était aussi dégoûtant que la première. Dudley est venu témoigner.

Assis dans le public, Mr. Dudley Bishop leva la main.

— Est-ce que tout cela est vrai, monsieur Bishop ? demanda le juge.

— Absolument vrai, répondit le témoin.

— Continuez, ordonna le juge.

— Eh bien, j'étais très en colère. Les gens se moquaient de moi, alors je me suis essuyé la figure et je suis allé trouver Miss Petunia. Elle avait vu ce qui s'était passé et s'en moquait éperdument. Elle m'a conseillé de ne pas m'approcher du lama et m'a assuré que tout se passerait bien. Je lui ai expliqué que j'avais le droit de faire mon travail et que c'était son problème, pas le mien. Qu'elle fasse quelque chose pour sa saleté de lama, quoi. Mais elle a refusé. Je me suis encore calmé et j'ai essayé de garder mes distances. Dès que je m'approchais de l'entrée, le lama s'arrêtait pour regarder méchamment. J'en ai parlé à Frankie et je lui ai proposé d'échanger nos postes pour le reste de la matinée, mais il n'a pas voulu en entendre parler. Il a dit que je devais appeler la fourrière, ce que j'ai fait. Le policier est venu et a discuté avec Miss Petunia. Elle a dit qu'aucun décret municipal n'exigeait de mettre en laisse ou d'enfermer son lama, et le policier de la fourrière était d'accord. Les lamas ont la liberté de se promener dans la ville comme ils veulent, en crachant sur les gens, alors.

— Je n'avais pas observé que c'était un problème à Strattenburg, remarqua le juge Yeck.

— Eh bien, ça l'est, maintenant. Et ce n'est pas tout, monsieur le juge.

— Continuez.

— Eh bien, ça s'est reproduit samedi dernier, mais en pire. Je me tenais à l'écart de l'animal, faisant mon travail de mon mieux, en essayant de l'éviter et sans croiser son regard. Je n'ai pas dit un mot à Miss Petunia, ni à personne autour d'elle. L'autre dame ici présente, Mrs. Finnemore, tient le stand à côté, où elle vend du fromage de chèvre, et elle a cette espèce de singe araignée qui traîne dans le coin ; il attire les clients et ça améliore les ventes, je crois.

— Quel rapport entre le singe et le lama ?

166

— Je vais vous le dire. Parfois, le singe s'assoit sur le dos du lama. Il le monte, en fait, et ça attire toujours plein de gens. Les gosses se mettent autour et prennent des photos. Il y a même des parents qui photographient leurs enfants posant avec le lama et le singe. Cette fois, une petite fille a eu peur et s'est mise à hurler. Je suis arrivé et, dès que le lama m'a vu, il m'a foncé dessus. Je ne me suis pas approché à moins de dix mètres, mais il a quand même attaqué. Je ne voulais pas me faire encore cracher dessus, alors j'ai reculé. Le lama m'a poursuivi, avec le singe qui jouait au cow-boy dessus. Quand j'ai compris que c'était sérieux, j'ai fait demi-tour et je me suis mis à courir. Plus je courais, plus le lama accélérait. J'entendais le singe qui faisait des bruits. Ça devait l'amuser. Il devait être 8 heures ; le marché était plein et tout le monde riait. Je ne savais pas si ce truc allait me mordre ou quoi. J'ai pensé à prendre mon arme pour me défendre, mais il y avait trop de personnes autour, et d'ailleurs je ne voulais pas tuer le lama. On a couru dans toutes les allées du marché, les gens rigolaient, le singe poussait des cris, c'était horrible.

Le juge Yeck se cacha à moitié la figure derrière un dossier pour dissimuler son visage hilare. Theo jeta un œil dans la salle. Tout le monde souriait.

— Ce n'est pas drôle, monsieur le juge, dit Buck.

— Continuez.

— Finalement, ça s'est arrêté quand je suis tombé. J'ai trébuché devant les pastèques de Butch Tucker, et avant que je ne me relève, le lama s'est penché vers moi et m'a craché dessus. Il a raté mon visage, mais m'a touché à la chemise. Butch est là, il peut confirmer, si vous voulez.

Butch leva la main.

— Tout ça c'est vrai, monsieur le juge. J'y étais, déclara-t-il avec un grand sourire.

— Merci. Continuez, je vous prie.

— Eh bien, reprit Buck, écarlate et la respiration sifflante, je me suis relevé et j'étais prêt à cogner le lama et peut-être le singe aussi, quand Frankie est arrivé avec un bâton et a fait fuir l'animal. Il a dû retourner là où il était. Je ne sais pas, j'étais trop perturbé. Il faut faire quelque chose, monsieur le juge. J'ai le droit de faire mon travail sans être agressé.

— Autre chose ?

— Non, c'est tout pour l'instant.

— Un contre-interrogatoire, monsieur Boone ?

Theo décida qu'il vaudrait mieux que sa cliente expose sa version des faits. Il savait par expérience que le juge Yeck n'aimait pas les procédures habituelles dans les tribunaux.

— J'aimerais entendre Miss Petunia, proposa Theo.

— Bonne idée. Miss Petunia, veuillez nous donner votre version.

Miss Petunia se leva d'un bond, prête à défendre Lucy.

— Vous pouvez rester assise, dit le juge.

— Je préfère être debout.

— Je vous en prie, alors.

— Merci, monsieur le juge. Tout ce qu'il a dit est vrai, mais il a oublié plusieurs choses, commença Miss Petunia. Les lamas crachent quand ils se sentent menacés ou harcelés, et ils le font pour se défendre. Ils ne mordent pas et ne ruent pas. Ce sont des animaux très paisibles qui existent depuis des milliers d'années. Ils viennent de la même famille que les chameaux, le saviez-vous, monsieur le juge ?

— Non.

— Eh bien, oui, et ils sont travailleurs, loyaux et demandent peu en retour. J'ai Lucy depuis douze ans, et c'est elle qui tire ma carriole au marché tous les samedis matin, au lever du soleil. J'ai une toute petite voiture, je ne peux pas m'en servir pour emporter mes fleurs et mes herbes, alors c'est Lucy qui me rend ce service.

Le juge leva la main et demanda à Theo :

— Est-il légal qu'un lama tire une carriole dans les rues de la ville ?

— Oui, monsieur le juge. Il n'existe aucun décret l'interdisant.

— Où vit ce lama ?

— Dans mon jardin, répondit Miss Petunia. J'ai un grand jardin.

— La Ville permet-elle à des particuliers d'avoir des lamas chez eux ?

169

— Non, Votre Honneur, répondit Theo. Cependant, Miss Petunia ne vit pas en ville. Son domicile se trouve juste en dehors des limites de Strattenburg, dans le comté, et le comté n'interdit pas qu'un lama habite dans son jardin.

— Je vous remercie, maître. Continuez, Miss Petunia, je vous prie.

— Il y a quelques mois, Lucy et moi nous rentrions à la maison après le marché, et nous avons été arrêtées par une voiture de police. Deux agents sont sortis et ont commencé à me poser des questions. Ils nous accusaient de bloquer la circulation et d'autres bêtises, mais en fait, ils étaient juste curieux, je crois. Ça a vraiment perturbé Lucy. Elle s'est sentie menacée.

— Est-ce qu'elle leur a craché dessus ? demanda le juge.

— Non, monsieur.

— Est-ce qu'elle crache souvent sur les gens ?

— Cela arrive rarement. Il y a un an à peu près, un type qui relève les compteurs d'électricité est passé et il l'a embêtée. Elle l'a eu. Il portait une espèce d'uniforme. En fait, monsieur le juge, je crois que Lucy n'aime pas les hommes corpulents en uniforme. Elle se sent menacée. Elle n'a jamais craché sur une femme ou un enfant, ni sur un homme sans uniforme.

— Elle mérite une médaille.

— En plus, Mr. Boland n'a pas été très gentil avec elle. Il s'est arrêté plusieurs fois pour m'intimider, il voulait que je mette Lucy en laisse, ou qu'elle reste au même endroit, ce genre de choses. Il s'imagine qu'il contrôle tout le marché. Il est en partie responsable de tout ça.

— Ce n'est pas vrai, Votre Honneur, intervint Buck.

Pourtant, tous ceux qui voyaient Buck en uniforme savaient immédiatement qu'il était fier de son autorité.

— Nous n'allons pas pinailler. Vous avez terminé, miss Petunia ?

— Je pense.

— Très bien. Monsieur Boland, que voulez-vous que je fasse au juste ?

— Eh bien, monsieur le juge, je pense qu'elle devrait garder son lama chez elle, dans son jardin, là où il ne peut ni cracher sur les gens ni les agresser en public.

— Mais, monsieur le juge, intervint Theo, Miss Petunia doit pouvoir apporter ses fleurs et ses herbes au marché, et aucune loi ne lui interdit d'utiliser son lama pour tirer sa carriole. Ce serait injuste d'exiger de ma cliente qu'elle laisse Lucy à la maison.

— Peut-être, mais il faut bien faire quelque chose, monsieur Boone, répondit le juge. Nous ne pouvons pas laisser un animal cracher sur les gens. Mr. Boland a le droit de faire son travail sans crainte d'être agressé par un lama. Êtes-vous d'accord, monsieur Boone ?

— Oui, tout à fait, et au nom de ma cliente, je présente mes excuses à Mr. Boland pour le comportement de Lucy.

Le juge Yeck accordait une grande importance aux excuses, et Theo avait insisté auprès de Miss Petunia pour en présenter. Sa cliente n'y était pas favorable, mais Theo était venu à bout de ses réticences.

Buck les accepta d'un signe de tête, mais il n'était toujours pas satisfait.

— Vous avez une idée, monsieur Boone ? demanda le juge.

Theo se leva.

— Essayons ceci. Samedi prochain, Mr. Boland échangera son poste avec l'autre gardien, Frankie, et Frankie aura l'instruction de rester aussi loin que possible de Lucy, tout en faisant son travail. Si Lucy agresse Frankie, alors nous prendrons des mesures plus strictes.

— Par exemple ?

— Votre Honneur, Lucy n'a jamais été mise en laisse, mais ma cliente essayera. Miss Petunia est sûre qu'elle peut en parler à Lucy et la convaincre de ne pas agresser les hommes corpulents en uniforme.

— Quelle taille fait Frankie ? demanda le juge à Buck.

— C'est une crevette.

— Miss Petunia parlera à Lucy ? demanda le juge à Theo.

Miss Petunia se leva à son tour.

— Oh, oui, monsieur le juge. Nous discutons tout le temps. Lucy est très intelligente. Je crois pouvoir la convaincre d'arrêter de cracher.

— Monsieur Boland, que pensez-vous de cette idée ?

Buck comprit qu'il n'obtiendrait pas gain de cause, pas tout de suite en tout cas ; il se contenta donc de hausser les épaules :

— On va essayer. Je ne cherche pas d'histoires, monsieur le juge. Mais c'est drôlement gênant.

— J'en suis convaincu. Nous allons suivre ce plan et, s'il ne marche pas, nous nous retrouverons ici la semaine prochaine. D'accord ?

Tout le monde acquiesça.

— La séance est levée, déclara le juge Yeck.

15.

Dès que Theo sortit du tribunal, la réalité reprit ses droits. L'espace d'un moment, il avait réussi à oublier ses problèmes en se plongeant dans le monde farfelu d'un lama cracheur. Miss Petunia était aux anges. May Finnemore avait maladroitement serré Theo dans ses bras. Surtout, il avait impressionné April par son talent d'avocat.

Mais la fête était finie, et Theo n'attendait plus que des humiliations. Victime de fausses accusations, suivi, harcelé, et désormais c'était toute sa famille qui se retrouvait entraînée dans cette histoire. Il était terrifié à la seule idée d'une bande de policiers fouillant la maison Boone de fond en comble. Que penseraient les voisins ?

Tout à coup, Theo fut saisi d'une pensée si horrible qu'il dut arrêter son vélo pour reprendre son souffle. Il s'assit sous un abribus, le regard fixé sur la rue. Si quelqu'un était assez malveillant et audacieux pour dissimuler des objets volés dans son casier, pourquoi ne ferait-il pas de même dans la maison Boone ? Les portes du garage restaient généralement ouvertes. Il y avait un appentis à l'arrière, et il n'était jamais fermé. Un voyou n'aurait guère de difficulté à se glisser dans le jardin et à trouver un endroit discret où dissimuler quelques tablettes ou téléphones de plus, voire des ordinateurs portables.

Et si la police trouvait ces objets ? Ils seraient encore pris la main dans le sac ? Theo se demanda si ses propres parents n'allaient pas finir par le soupçonner.

Il remonta sur son vélo et reprit sa route vers le cabinet, où il se glissa par la porte arrière et retrouva Juge, endormi sous son bureau. Il longea le couloir sur la pointe des pieds, sans être vu. Elsa rangeait ses papiers et s'apprêtait à partir. En bavardant avec elle, Theo comprit qu'elle s'inquiétait beaucoup pour lui. Après leur conversation, il se sentit encore plus démoralisé.

L'horloge indiquait presque 17 heures.

La police attendait devant le 886 Mallard Lane, domicile de Woods et Marcella Boone et de leur fils unique Theo, qui n'avait jamais vécu ailleurs. Les agents se trouvaient dans deux voitures banalisées, ce dont les Boone leur furent reconnaissants. Des véhicules officiels arborant écussons et gyrophares auraient attiré les voisins comme un aimant.

Theo arriva le premier sur son vélo, ses parents juste derrière. Les inspecteurs Vorman et Hamilton s'approchèrent et présentèrent les agents Mabe et Jesco, tous deux en civil. Mrs. Boone alla faire du café et invita les policiers. Tout le monde s'assit à la table de la cuisine. Mr. Boone relut lentement le mandat de perquisition, puis le tendit à Mrs. Boone qui l'imita.

— Je ne comprends pas pourquoi il est nécessaire de fouiller toutes les pièces de notre maison, commenta Mr. Boone.

— Ce n'est pas nécessaire, dit sèchement Mrs. Boone.

Ils étaient manifestement en colère, mais se contrôlaient, du moins pour le moment.

— Je suis d'accord, répondit Hamilton. Nous n'avons pas prévu d'y passer la nuit. Nous aimerions jeter un œil dans la chambre de Theo et peut-être d'autres, puis au garage, à la cave et au grenier.

— Il n'y a rien dans ma chambre, lança Theo, qui écoutait la conversation depuis le seuil de la cuisine.

— Ça suffit, Theo, l'avertit son père.

— Vous avez l'intention de fouiller notre grenier ? demanda Mrs. Boone incrédule en servant le café.

— Oui, répondit Hamilton.

— Bonne chance. Vous risquez de ne pas en sortir vivants.

— Vous avez des annexes ? demanda Vorman.

— Il y a un appentis derrière, indiqua Mr. Boone.

— Qu'est-ce qu'il y a dedans ?

— Je n'ai pas la liste. Les trucs habituels : une tondeuse à gazon, des tuyaux d'arrosage, du désherbant, des vieux meubles.

— L'appentis est fermé à clé ?

— Jamais.

Theo les interrompit à nouveau :

— Il n'y a rien dans notre grenier et rien dans l'appentis. Vous perdez votre temps, parce que vous vous trompez de suspect.

Les six adultes se tournèrent vers lui, et son père répéta :

— C'est bon, Theo. Ça suffit.

— Moi, je suis d'accord avec Theo, martela sa mère. C'est une perte de temps et d'énergie. Plus vous passerez de temps à soupçonner Theo, plus il se passera de temps avant que vous ne retrouviez le vrai coupable.

— Nous ne faisons que notre enquête, répondit Hamilton. C'est notre travail.

La chambre de Theo était étonnamment en ordre. Ses parents lui donnaient des mauvais points pour un lit pas fait, des vêtements par terre ou des livres mal rangés. Les mauvais points entraînaient une baisse de son argent de poche hebdomadaire. Si Theo ne rangeait pas sa chambre, il risquait donc de sérieuses pertes d'argent. Il fut convenu que Mrs. Boone resterait dans la pièce avec les policiers pour surveiller la perquisition. Une inspection de dix minutes ne révéla rien, et le groupe se rendit dans la chambre d'amis, puis dans le salon. Sous le regard vigilant de Mrs. Boone, les agents fouillèrent soigneusement les placards et les étagères. Ils palpèrent tous les vêtements dans la penderie. Ils marchaient presque sur la pointe des pieds, comme s'ils craignaient de casser quelque chose.

Une fois le groupe sorti du salon, Theo et son père allumèrent la télévision pour regarder les nouvelles locales. Theo essaya de se détendre, mais il ne pensait qu'à l'appentis, si facile à utiliser pour y cacher le butin. Il avait mal au ventre, il aurait voulu s'allonger, mais il tenta courageusement de prendre l'air nonchalant. Et s'il les entendait crier « On a trouvé ! » ? Sa vie serait finie.

Mrs. Boone conduisit les agents à la cave où ils fouillèrent la buanderie, la salle de jeux et le débarras. Rien. Ils montèrent ensuite au grenier, encombré de cartons pleins des habituels objets inutiles qui finiraient à la poubelle.

— Theo monte souvent ici ? demanda Hamilton à Mrs. Boone.

— Seulement pour cacher des objets volés, rétorqua-t-elle.

Hamilton se jura de ne plus poser de questions.

Il fallut presque une heure pour ouvrir tous les cartons et les boîtes. Bredouilles, les policiers allèrent au garage, où ils inspectèrent encore un débarras et un grand placard où se trouvaient la chaudière et la climatisation. Une fois qu'ils furent sortis de la maison, Theo demanda à son père :

— Je peux aller dans ma chambre ?

— Bien sûr. Ah, Theo, ta mère et moi nous te croyons à cent pour cent. Tu m'entends ?

— Oui, papa. Merci.

Theo alla s'étendre sur son lit et tapota la place près de lui. Juge, qui attendait ce signal, sauta à ses côtés – ce que Mrs. Boone interdisait strictement. Mais la porte était verrouillée et Theo était bien en sécurité, loin du monde, du moins à cet instant. Il entendit un bruit dans le jardin et comprit que les policiers fouillaient l'appentis. Il attendit, essaya de se détendre, et d'oublier que sa chambre venait d'être perquisitionnée par la police.

Les minutes s'écoulèrent et plus aucun bruit ne parvint aux oreilles de Theo. Les agents ne trouvèrent rien de particulier dans l'appentis, et la perquisition prit fin au bout de deux heures. Les policiers remercièrent Mr. et Mrs. Boone pour leur coopération – comme s'ils avaient eu le choix – et quittèrent Mallard Lane.

Mrs. Boone frappa à la porte de Theo, qui alla ouvrir. Elle le prit dans ses bras.

— Ils sont partis. Et toi, ça va ?

— Non, pas vraiment.

— Moi non plus. Écoute, Theo, comme avocate, je me défends. Et ton père aussi. Nous sommes décidés à te protéger. Il ne t'arrivera rien de mal, d'accord ? Ces inspecteurs sont des gens bien qui ne font que leur travail. Ils finiront par découvrir la vérité, et ce cauchemar prendra fin. Je te promets que cela se terminera bien.

— Si tu le dis, maman.

— Ton père a une excellente idée. Comme tu n'as pas classe demain, allons manger une pizza chez Santo.

Theo réussit à sourire.

Dans la voiture, Theo demanda :

— Vous avez déjà entendu parler d'un lama cracheur ?

— Non, répondirent d'une même voix ses parents.

— Alors, j'ai une sacrée histoire à vous raconter…

16.

L e vendredi matin tirait à sa fin. Theo aurait dû être en cours d'instruction civique. Il s'ennuyait d'être exclu et reconnut que le collège lui manquait. Sa mère était au tribunal. Son père était à son bureau, enfoui sous les papiers. Personne n'avait de temps pour Theo au cabinet ; il informa donc Elsa qu'il allait rendre visite à Ike. Elle le serra dans ses bras, l'air à nouveau au bord des larmes. Toute cette pitié écœurait Theo.

Alors que Theo pédalait dans Strattenburg, Juge à ses côtés, il fit bien attention d'éviter les rues passantes : il n'avait aucune envie d'être arrêté par la police. Les élèves qui séchaient les cours se faisaient prendre tout le temps, et les récidivistes étaient traînés au tribunal pour mineurs. Theo avait l'intuition qu'il verrait davantage ce tribunal qu'il n'en avait jamais rêvé. Et, vu la chance qu'il avait cette semaine, il était presque certain qu'un autre agent l'arrêterait.

Il arriva sans encombre devant chez Ike et grimpa quatre à quatre les escaliers, déboulant dans une pièce mal rangée où son vieil oncle bizarre gagnait à peine assez d'argent pour survivre. Malgré son bureau envahi de papiers et son goût du travail très Boonien, Ike ne s'épuisait pas vraiment. Il vivait seul dans un petit appartement. Il roulait dans une vieille Spitfire avec plus d'un million de kilomètres. Ayant peu de besoins, il ne travaillait guère. En particulier le vendredi. Theo savait par expérience que la plupart des avocats étaient fatigués aux alentours de midi le vendredi. Le tribunal était bien plus calme. C'était difficile de trouver un juge le vendredi après-midi. Les greffiers s'attardaient à la pause déjeuner et filaient dès qu'ils pouvaient.

Ike, même s'il n'était plus un vrai avocat, respectait cette tradition. Il se levait tard, ce qu'il faisait d'ailleurs presque tous les jours, et traînait dans son bureau jusqu'à midi, où il descendait déjeuner au restaurant grec. Pour bien commencer le week-end, Ike prenait deux verres de vin à ce moment-là.

Il était 10 h 30 lorsque Theo et Juge arrivèrent, et Ike, après trois tasses de café, était bavard et nerveux.

— J'ai un suspect, Theo, pas une vraie personne, pas un nom, pas encore, mais j'ai une idée qu'il nous faudra étudier. Tu me suis ?

— Bien sûr, Ike.

184

— D'abord, je veux tout savoir sur la bagarre. Jusqu'au moindre détail. Le moindre coup de pied, la moindre goutte de sang, le nez qui saigne. Dis-moi que tu as cogné un petit voyou en pleine figure.

Ike avait les pieds sur la table – des sandales sales, sans chaussettes. Theo l'imita donc.

— Eh bien, ça s'est passé vraiment vite, commença-t-il, avant de se lancer dans un compte rendu détaillé et assez exact de la bagarre.

Ike souriait, en oncle empli de fierté. Theo n'embellit pas trop l'histoire et résista à la tentation d'enjoliver son talent de pugiliste. Il conclut en racontant la réunion avec Mrs. Gladwell et son exclusion.

— Tant mieux pour toi, Theo, commenta Ike. Parfois, on n'a pas le choix. Porte ton exclusion comme une médaille.

— Tu es au courant du mandat de perquisition ? demanda Theo, désireux de partager tous ses déboires de la semaine.

— Quel mandat ? demanda Ike.

Theo raconta l'histoire, et Ike l'écouta, atterré. Pour détendre l'atmosphère, Theo demanda :

— Tu as déjà entendu parler d'un lama cracheur ?

Ike n'en connaissant pas, Theo raconta avec force détails sa dernière aventure au tribunal pour animaux.

Une fois les histoires terminées, Ike se leva d'un bond, fit craquer ses jointures et lança :

— OK, Theo. Notre tâche est de trouver la personne qui essaye de te piéger, d'accord ?

— D'accord.

— Je n'ai pensé qu'à ça ces dernières quarante-huit heures. Dis-moi ce que tu sais pour l'instant.

— Pas grand-chose. Mon père est convaincu que c'est quelqu'un du collège, très certainement un autre élève, parce qu'un adulte aurait du mal à ouvrir mon casier sans éveiller les soupçons. Mon père pense que cet élève n'a pas agi seul.

— Tout à fait d'accord. Qui est ton suspect numéro un ?

— Je n'en ai pas, Ike. Mes parents ont insisté pour que je dresse une liste de tous les élèves qui pourraient m'en vouloir. Je ne dis pas que je suis le type le plus sympa du collège, mais vraiment, je ne vois personne qui 1) ouvrirait mon casier pour y voler des affaires lundi, puis 2) cambriolerait le magasin d'informatique le mardi soir, en laissant ma casquette, puis 3) ouvrirait à nouveau mon casier le mercredi pour y déposer les tablettes volées, et tout ça dans le but de me faire jeter en prison. Il y a quelqu'un qui me déteste à mort, mais je ne vois vraiment pas de qui il pourrait s'agir.

— C'est parce que tu ne le connais pas. Tu ne l'as sans doute jamais rencontré. Peut-être que tu l'as vu, mais tu ne le sais pas.

Ike faisait les cent pas derrière son bureau, grattant sa barbe grise avec un air d'intense concentration.

— OK, dit Theo. Qui c'est ?

Ike s'assit soudain et se pencha vers Theo, les yeux brillants.

— Tes parents, ce sont des avocats, et des bons. Les avocats acceptent des affaires impliquant des gens furieux, perturbés, blessés, en difficulté, ou assez énervés pour dépenser beaucoup d'argent à porter plainte. Bon, ton père s'occupe d'immobilier, ce qui, à mon avis, est un gagne-pain bien ennuyeux. Il brasse beaucoup de pape-rasse. Il travaille avec des gens qui achètent et vendent des maisons, des immeubles, des terrains, tu vois de quoi je parle.

— Je ne serai pas avocat dans l'immobilier, affirma Theo.

— Bien dit, petit. Ce que je veux dire, c'est que ses clients ne sont pas engagés dans des conflits. D'accord ?

— D'accord.

— Ta mère, en revanche, ne s'occupe que de conflits. Et les pires. Les divorces. Les mariages brisés. Les maris et les femmes qui se battent pour avoir la garde des gosses, conserver la maison, les voitures, les meubles, l'argent. Des accusations d'adultère, de violences, de négligence. Parfois, ce sont des affaires terribles, Theo. Je n'ai jamais pu m'occuper des divorces. Ta mère, pourtant, est l'un des meilleurs avocats dans ce domaine. Elle l'a tou-jours été.

Theo écoutait patiemment. Il savait tout cela.

— Le divorce, c'est une chose horrible pour un enfant, Theo, continua Ike. Tout à coup, les deux personnes qu'il adore ne peuvent plus vivre ensemble, elles ne s'aiment plus, en fait elles se détestent souvent et, pendant leur séparation, elles utilisent l'enfant comme un trophée. Pour l'enfant, c'est traumatisant, incompréhensible et très douloureux. Il ne sait pas quel parent aura la garde, donc avec qui il vivra. Souvent, les ex-époux sont contraints de vendre la maison familiale. Parfois, l'enfant préfère un parent à l'autre et il est obligé de choisir. Imagine, Theo, de devoir choisir entre ton père et ta mère. Le divorce constitue un choc émotionnel pour l'enfant, et les dégâts sont durables. (Ike se gratta la barbe et reprit :) Je pense que tes problèmes sont liés à l'un des divorces traités par ta mère. Je pense que l'une de ses clientes a un enfant dans ton collège, et cet enfant te déteste en secret parce qu'il n'aime pas la tournure que prend le divorce. Comme ta mère représente toujours l'épouse, et que l'épouse obtient presque toujours la garde de l'enfant... eh bien, peut-être que celui-ci n'aime pas sa mère et veut vivre avec son père qui, pour des raisons évidentes, n'apprécie vraiment pas Marcella Boone. Cette forte antipathie pour ta mère ne serait pas du tout inhabituelle dans une affaire de divorce, et elle est probablement partagée par les enfants qui sont pris entre deux feux.

Le poids que Theo portait sur ses épaules s'allégea soudain. Quelle idée brillante ! Et il n'y avait jamais songé. Mais Ike, le vieil oncle sagace, voyait tout.

— Tu peux te demander pourquoi Marcella n'en a pas parlé, reprit Ike. Elle y a sans doute réfléchi, mais ta mère défend ses clientes avec une telle ardeur que, souvent, elle ne prend pas assez de recul. En plus, professionnelle jusqu'au bout des ongles, elle n'irait jamais trahir les secrets de ses clientes.

— Même pas pour protéger son fils ?

— Bien sûr que si, Theo. Si ta mère pensait que tu pourrais être victime d'une personne impliquée dans l'une de ces affaires, elle ferait sans doute tout son possible pour te protéger. Mais des avocats comme Marcella sont si déterminés à défendre leurs clients qu'ils ne voient pas ce que d'autres pourraient voir. Reconnais, Theo, que notre élève mystère se comporte de manière scandaleuse. Ce n'est pas exactement ce que pourrait anticiper ta mère – ni personne d'autre, d'ailleurs. Marcella s'est occupée de tant de divorces, pendant tant d'années, qu'elle ne pense probablement pas à la rancune des enfants de ses clients.

— Il faut que je parle à ma mère ?

— Pour lui demander quoi ? Quel divorce se passe mal, avec des enfants dans ton collège ? Imagine qu'elle songe à deux ou trois affaires. La liste de suspects se raccourcit. Tu réussis, je ne sais pas trop comment, mais tu réussis à prouver que l'élève mystère est le vrai coupable. Le gosse se fait arrêter pour cambriolage du magasin, renvoyer du collège, toutes les galères qu'il mérite. Toi, tu es blanchi et lui a de gros ennuis, d'accord ?

— D'accord.

— Mais il est possible que ta mère s'attire des ennuis elle aussi. Sa cliente ne sera pas ravie parce que ta mère sera responsable, en partie, des gros problèmes de son gamin. Parce que, enfin, il passera du temps dans un centre de détention – et sa mère pourrait être accusée, elle aussi. D'accord, le gosse est coupable et il doit être puni, mais sa cliente aura l'impression que Marcella a violé le secret professionnel. Ce qui mettrait ta mère dans une situation délicate.

— Tu as un plan.

— Toujours. Tu as apporté ton ordinateur ?

— Dans mon sac.

— Bien. On va regarder les affaires jugées par le tribunal des affaires familiales. On dressera une liste de tous les divorces en cours dont ta mère s'occupe. Dans le lot, on établira une liste des procès en cours avec des enfants, ceux qui vont dans ton collège. À ce stade, la liste devrait être courte.

Theo sortait déjà son portable.

— Excellente idée, Ike.

— Nous verrons.

Le registre du tribunal des affaires familiales classait les divorces selon diverses catégories : À l'amiable/Litige ; En cours/Classé ; Avec enfants/ Sans enfants ; Communication préalable/En attente de procès. Au bout d'une demi-heure de recherches, Theo sur son portable et Ike sur son volumineux ordinateur de bureau, ils eurent une liste de vingt et une affaires en cours où Marcella Boone représentait l'épouse. Parmi celles-ci, trois figuraient dans la catégorie Sans enfants et furent donc rayées de la liste. Cinq autres se traitaient À l'amiable, et Ike pensa qu'ils pouvaient aussi les éliminer. Les divorces à l'amiable étaient plus faciles et plus rapides : les gens n'en sortaient pas abîmés au point de crever des pneus ou de jeter des pierres dans les vitres.

— Qu'est-ce que ça veut dire, « Sécurisé » ? demanda Theo en parcourant les registres.

— Des ennuis, répondit Ike. J'avais oublié les dossiers sécurisés. Ce sont des affaires de divorce où les accusations de maltraitance sont particulièrement graves. Les deux parties peuvent demander au juge de sécuriser le dossier ; dans ce cas, il est mis en sûreté et n'est accessible qu'aux avocats concernés. Rien n'est rendu public. On pourrait se retrouver dans l'impasse, alors... sauf si, bien sûr, nous avons accès aux dossiers de ta mère. Mais continuons.

Ike établit une liste de clients impliqués dans les treize affaires restantes, et Theo téléchargea l'annuaire des élèves du collège de Strattenburg. Ils croisèrent les fichiers et rayèrent encore six noms. Certains étaient si courants, cependant, qu'ils ne pouvaient être ni inclus ni exclus. Il y avait un Smith, un Johnson, un Miller et un Green. Theo se sentit un peu soulagé : il ne connaissait aucun des élèves figurant sur la liste.

Il se souvint que deux ans plus tôt, alors qu'il était en sixième, une fille nommée Nancy Griffin lui avait dit que Marcella Boone avait été l'avocate de sa mère pour un divorce récent. Le divorce était conclu, et Mrs. Griffin était tout à fait contente du travail de Marcella. Pour la première fois, Theo avait compris que le travail de sa mère pouvait avoir des conséquences pour ses amis et camarades. Par la suite, il avait posé la question à sa mère ; il avait aussi voulu savoir pourquoi elle ne l'avait pas informé. Mrs. Boone avait pris soin de lui expliquer, avec sévérité, que les avocats se doivent de respecter certaines règles, l'une des plus importantes étant le secret professionnel.

Ike prenait toujours des notes.

— Donc, on a sept noms possibles : sept affaires de divorce traitées par ta mère impliquant des élèves du collège. Tu reconnais quelqu'un ?

— Pas vraiment. Il y en a un qui s'appelle Tony Green en cinquième, mais on ne sait pas si c'est la bonne famille Green. Sinon, ça ne me dit rien.

— Revenons au registre sécurisé, dit Ike.

Theo y arriva dix bonnes secondes avant son oncle. Il y avait huit dossiers verrouillés, identifiés par le seul nom du conjoint ayant demandé le divorce. Les avocats n'apparaissaient pas.

— Ça doit être un vilain divorce, celui qu'on cherche, insista Ike. Les parents se battent pour avoir la garde, et notre élève mystère préfère vivre avec son père. Sinon, il ne s'en prendrait pas au fils de l'avocate de sa mère. Ça te paraît logique ?

— Oui, je pense.

— Pour que le père obtienne la garde, il doit prouver que la mère est incapable d'élever les enfants. Le juge favorise toujours la mère, et il est rare que le père obtienne la garde.

— Je sais, dit Theo.

— Pour prouver l'incapacité de la mère, le père doit faire la preuve de toutes sortes de comportements répréhensibles de la part de la mère. Ces affaires terminent souvent dans le registre « Sécurisé », pour des raisons évidentes.

— Alors, pas de chance.

— Exact… sauf si on pouvait jeter un œil dans les dossiers de ta mère.

— Tu es dingue ?

— Oui, Theo, je suis dingue, et ça fait un moment maintenant. Et je ferais des trucs dingues pour découvrir qui te suit, qui te harcèle, et qui essaye de te faire accuser d'un délit grave. Tu peux me traiter de dingue, mais il est peut-être temps de violer certaines règles. C'est ce que tu as fait hier, quand tu t'es battu. Pourtant, tu n'avais pas vraiment le choix, exact ?

— Exact, oui…

— Je ne te parle pas d'enfreindre la loi, Theo. Ce ne serait pas illégal de regarder les dossiers de Marcella. Un peu immoral, peut-être, mais nous n'allons pas révéler d'information sensible. Et ce pourrait être notre seule chance de résoudre ce petit mystère.

— Je ne sais pas, Ike.

— Quel système de stockage numérique utilise le cabinet ?

— Ça s'appelle InfoBrief, c'est vraiment rudimentaire, c'est juste pour l'archivage, le catalogage, et pour utiliser moins de papier.

— Qui y a accès ?

— Pas moi. Mes parents, Dorothy et Vince, Elsa, mais mon père et Dorothy s'en servent rarement. Ma mère et Vince l'utilisent pour tout mettre en ordre et retrouver leurs dossiers sans soulever des piles de paperasses. On peut faire aussi des recherches juridiques avec.

— Tu pourrais avoir un mot de passe ?

Theo réfléchit un long moment. S'il obtenait le mot de passe et le communiquait à Ike, il se rendrait complice de quelque chose. Pas d'un délit, peut-être, mais en tout cas de quelque chose qu'il préférait éviter. Il avait bien assez d'ennuis comme ça. La dernière chose qu'il voulait, c'était que sa mère lui tombe dessus pour violation de l'intimité de ses clients.

— Écoute, Ike, je vais juste voir ma mère et lui dire ce que je pense. Je lui exposerai notre hypothèse, et je lui demanderai son aide. C'est ma mère, tu sais ?

— C'est une super-idée, Theo, et ça paraît logique. Mais pas tout de suite. Essayons de dénouer cette affaire sans l'impliquer, elle. Je ne veux pas demander à Marcella Boone de me communiquer des informations sensibles sur un client.

— On n'a pas beaucoup de chances, Ike ?

— Peut-être, mais c'est la meilleure hypothèse pour l'instant. La police ne recherche personne d'autre parce qu'elle est convaincue que c'est toi le voleur. Ils pourraient débarquer n'importe quand avec un mandat et te traîner au tribunal des mineurs. Si on ne trouve pas rapidement le vrai coupable, Theo, la situation va considérablement s'aggraver. Tu comprends ?

— Oui, crois-moi, je comprends.

— Écoute-moi, Theo. Il y a longtemps, j'étais un avocat prospère de Strattenburg, j'avais un bureau juste à côté de celui de ta mère, des tas de clients, et la vie était belle. Puis la police a débarqué et a commencé à poser des questions. Je n'avais pas toutes les réponses. Les policiers sont revenus à la charge, encore et encore. Je n'arrivais pas à croire ce qui se passait. Peu à peu, j'ai compris que j'allais avoir des problèmes, mais je n'y pouvais rien. Une fois que la justice pénale s'en prend à toi, elle est difficile à arrêter. Crois-moi, Theo, je l'ai vécu. C'est un sale moment. Le ciel te tombe dessus et tu n'y peux rien.

C'était la première fois qu'Ike évoquait ses problèmes, son passé, et Theo était fasciné. Il décida de poser la question qu'il avait toujours voulu poser :

— Est-ce que tu étais coupable, Ike ?

Ike y réfléchit et dit enfin :

— J'ai fait certaines erreurs, Theo, des choses que je regretterai toujours. Mais toi, tu n'as rien fait ; ça ne me gêne donc pas de contourner quelques petites règles pour te protéger. Il faut aller au fond des choses tout de suite, et te débarrasser de la police.

— D'accord, d'accord.

— Tu peux m'avoir le mot de passe ?

— Je crois.

17.

Theo et Juge retournèrent au cabinet Boone & Boone, en évitant encore les rues passantes. Theo était tellement plongé dans ses pensées, noyé dans un abîme de perplexité, qu'il grilla un stop et passa en flèche devant un postier.

— Attention, petit ! hurla l'homme.

— Désolé ! lança Theo par-dessus son épaule.

Juge prit les devants, comme s'il voulait rester à distance de Theo.

C'était l'heure du déjeuner. Elsa et Dorothy mangeaient leur salade dans la cuisine, parlant toutes les deux en même temps. Theo se glissa dans le couloir sans être vu. Le bureau de sa mère était vide.

— Elle est au tribunal, sans doute, marmonnat-il. La porte de Vince était ouverte, mais il était parti. Il quittait généralement le cabinet à l'heure du déjeuner. Son ordinateur était allumé, comme toujours, avec l'économiseur d'écran.

Le moyen le plus simple d'« emprunter » le mot de passe était de le prendre sur l'un des cinq PC.

Les deux avocats en avaient un, ainsi que Vince, Dorothy et Elsa. Si Theo osait vraiment « emprunter » un mot de passe, alors, c'était l'occasion rêvée. Theo avait pourtant du mal à se convaincre que c'était la chose à faire. Ike en était persuadé, mais Theo n'était pas Ike. Theo savait que c'était mal. Peut-être pas illégal, mais certainement mal.

La différence entre le bien et le mal avait toujours été claire ; désormais, rien n'était clair. Pour Theo, tout allait de mal en pis. C'était mal que quelqu'un ait ouvert son casier pour y déposer des objets volés dans le but évident de lui attirer de graves ennuis. C'était mal de le suivre, de crever ses pneus et de jeter une pierre dans sa fenêtre. Theo n'avait rien fait de mal, et pourtant on le traitait comme un délinquant. La police avait le mauvais suspect. La police faisait fausse route en refusant de le croire et, si elle traitait Theo en coupable, ce serait encore plus mal. C'était mal que Theo se soit mêlé à une bagarre – même si son père, Vince et Ike ne semblaient pas penser que c'était si mal. Est-ce que c'était mal que Theo vole un mot de passe, qu'il contrevienne aux règles du cabinet, dans le but d'éviter bien pire ? Est-ce qu'un bien pouvait sortir d'un mal ?

Tout était si compliqué... mais Theo faisait confiance à Ike. Et Ike, lui, était sûr que c'était bien de prendre le mot de passe.

Theo ramena Juge à son bureau et lui dit de faire la sieste. Une fois le chien installé, Theo se glissa dans le couloir, l'oreille aux aguets. Dorothy et Elsa échangeaient des recettes. Aucun bruit à l'étage – Woods Boone était connu pour faire la sieste pendant la pause déjeuner. Theo se glissa dans le bureau de Vince et verrouilla la porte. Il s'assit sur la chaise et examina le PC, en faisant bien attention de ne rien déranger. Theo vit la photo d'un coucher de soleil sur un océan, prise dans une banque d'images. Il cliqua sur Menu principal, puis sur InfoBrief. On lui demanda un mot de passe. Il sortit donc et passa à Mon Ordinateur. Il cliqua sur Bureau, puis sur Panneau de contrôle, puis Système et Sécurité, puis Mots de passe. Vince en avait beaucoup, et Theo se sentait minable de les consulter. Des mots de passe pour des sites d'achat en ligne, un opérateur de téléphonie, deux sites de rencontre, un de voyage, un de football virtuel, et au moins une dizaine d'autres. InfoBrief se trouvait en fin de liste, et Theo cliqua dessus. Le mot Avalanche88TeeBone33 apparut. Theo le nota rapidement, puis revint au Menu principal. Il cliqua sur InfoBrief, tapa le mot de passe. L'écran vira au blanc pendant cinq secondes, puis « InfoBrief – Boone & Boone – Numéro de compte 647R » apparut. Theo écrivit aussi ce code et cliqua sur Entrée. Une longue liste de noms apparut, comme *Denise Sneiter contre William B. Sneiter.* Theo comprit qu'il avait trouvé les divorces dont s'occupait sa mère. Il ferma le logiciel, revint à l'économiseur d'écran, et se leva sans rien toucher. Il inspira profondément et tourna la poignée, certain que quelqu'un l'attendait dehors, prêt à lui tomber dessus. Mais la voie était libre, et il revint en vitesse à son petit bureau où son chien dormait. Tout était calme.

Theo savait que le compte InfoBrief enregistrerait une connexion à 12 h 14 ce vendredi, depuis l'ordinateur de Vince, mais il doutait qu'on s'en aperçoive rapidement. Si on l'interrogeait, Theo nierait en bloc. Après tout, on était vendredi après-midi et il y avait de fortes chances pour que ni sa mère, ni Vince, ni personne ne se serve d'InfoBrief avant lundi matin ; enfin et surtout, les informations système d'InfoBrief étaient rarement consultées.

Même si son petit crime semblait parfait pour l'instant, Theo se sentait minable. Il se demanda s'il allait vraiment donner le nom du compte et le mot de passe à Ike, et il y était de moins en moins disposé. C'était une chose de récupérer ces informations en cachette dans l'ordinateur peu sécurisé de Vince, mais c'était bien plus grave qu'Ike ouvre bel et bien ces fichiers pour y chercher des informations sensibles.

Sa mère arriva juste après 13 heures, apportant son déjeuner avec elle. Elle mangea dans la salle de réunion avec Mr. Boone. L'atmosphère était sombre, et ils abordèrent d'autres sujets que les ennuis de Theo. Tout en mordillant son sandwich, Theo faillit dire que le complot pouvait être lié à l'un des divorces difficiles de Marcella Boone, mais Ike lui avait recommandé d'attendre.

Il attendit donc.

Theo était dans son bureau, penché sur ses devoirs. Les aiguilles de l'horloge tournaient lentement. Le téléphone intérieur sonna.

— Theo, il y a quelqu'un qui voudrait te voir, annonça Elsa.

— Qui est-ce ? demanda-t-il, étonné puis inquiet à l'idée que ça puisse être encore la police.

— Un ami.

Theo se précipita à l'entrée. Griff, l'air gêné, se tenait devant le bureau d'Elsa ; la veille, Mrs. Gladwell l'avait exclu, tout comme Theo. Ils entrèrent dans la salle de réunion et Theo ferma la porte. Ils s'assirent dans les massifs fauteuils en cuir, et Griff regarda autour de lui.

— Waouh, dit-il. C'est à toi ?

— Je m'en sers quelquefois, répondit Theo. J'ai un petit bureau dans le fond.

Après un silence gêné, Griff demanda :

— Tes parents t'ont engueulé ?

— Pas trop. Et toi ?

— Ils n'étaient pas très contents. Je suis privé de sortie pendant un mois, j'ai des corvées supplémentaires à la maison et pas d'argent de poche pendant quinze jours. Ça aurait pu être pire, j'imagine.

— Ça n'a pas l'air sympa.

— Écoute, Theo, si je suis ici, c'est parce que mes parents veulent que je m'excuse pour la bagarre. Donc, je m'excuse.

— Pas de problème, répondit Theo, je m'excuse aussi. C'était vraiment bête, tout ça, hein ?

— Ouais, vraiment. Baxter a une grande gueule et ça lui attire des ennuis.

— Baxter s'est excusé, aussi. Oublions ça.

— D'accord.

Griff hésita un instant. Il avait autre chose à dire.

— Écoute, Theo, d'après la rumeur, la police pense que c'est toi qui as cambriolé Big Mac, volé des tas de trucs, et qu'on en a retrouvé certains dans ton casier. C'est bien ça ?

— Oui.

— Moi, j'ai du mal à y croire, parce que je ne te vois pas cambrioler une boutique la nuit, tu vois. Ça ne te ressemble pas.

— Va le dire à la police.

— Je le ferai, si tu veux.

— Merci.

— En tout cas, Big Mac raconte à ses clients que la police a arrêté le voleur, Theodore Boone, et qu'on a retrouvé trois tablettes Linx 0-4 dans ton casier. Il parle trop lui aussi, ce Big Mac.

— J'imagine… soupira Theo, l'air abattu.

— Tu veux que je te dise un truc bizarre ? Ma sœur Amy est en seconde, et elle connaît un type qui s'appelle Benny. C'est pas son petit ami, hein, juste un copain. Ce Benny connaît un gars qui s'appelle Gordy, et d'après Gordy, un type lui a proposé une tablette Linx 0-4 pour cinquante dollars il y a deux jours, sur le parking du lycée. Toute neuve, encore dans son emballage. Ces trucs coûtent quatre cents dollars, et l'autre essaye de

202

lui en vendre une pour cinquante. C'est forcément volé, non ?

— Bien sûr, répondit Theo, en regardant Griff avec attention. Comment il s'appelle ?

— Je ne sais pas, mais je peux probablement trouver. Combien de 0-4 ont été volées ?

— Je n'en suis pas sûr, mais plus de trois, je crois, avec des ordinateurs et des téléphones portables.

— Pourquoi quelqu'un irait mettre ces trucs dans ton casier, puis appellerait la police ?

— C'est la question essentielle, Griff, et on essaye de trouver la réponse. Bon, il ne doit pas y avoir trop de 0-4 volées sur le marché noir, par ici. Il faut qu'on ait le nom du type qui essaye de les vendre. Et le plus tôt sera le mieux. Tu peux en parler à ta sœur ?

— Bien sûr.

— Alors, fais-le, s'il te plaît, Griff. Et vite.

Griff sortit aussitôt et Theo retourna à son bureau. Son exclusion commençait vraiment à lui peser.

À 15 h 45, sa mère lui donna la permission de quitter le cabinet pour raison personnelle. Theo dit au revoir à Juge et fila sur son vélo. Les cours étaient finis, pour la journée et la semaine, et les autres élèves étaient lâchés dans les rues de Strattenburg, prêts à s'amuser et à profiter de ce court répit. Theo était content que la semaine s'achève. Elle avait commencé lundi avec un pneu crevé, et à partir de là, ç'avait été la dégringolade. Theo s'inquiétait pour des raisons évidentes. S'il ne découvrait pas rapidement qui lui en voulait, la semaine à venir serait encore pire.

Le Commandant Ludwig patientait au sous-sol de l'immeuble des vétérans, quartier général de la troupe de scouts 1440. La réunion devait commencer à 16 heures précises, mais le Commandant attendait de ses scouts qu'ils arrivent avec cinq minutes d'avance. Il n'appréciait pas les retardataires, et il était capable d'aboyer et de gronder. Theo arriva à 15 h 57. Il y avait Brian et Edward, deux amis de la classe de Mr. Mount, avec Sam, Isaac et Bart, trois élèves de cinquième. Les six scouts avaient signé pour le badge de l'aviation, et le Commandant Ludwig serait leur tuteur. Il avait piloté des avions de chasse dans les marines et travaillait à présent comme instructeur de vol à temps partiel, à l'aéroport de la ville.

Au début, Theo se sentit un peu mal à l'aise, à côté de ses camarades Brian et Edward. Il se demanda s'il devait éprouver de la gêne ou de la fierté. Combien de rumeurs pouvaient circuler au collège en son absence ? Plein, sans doute. Le Commandant sentit ce malaise et exposa aussitôt ses projets.

— Ça va être passionnant, commença-t-il. Je pilote depuis presque quarante ans, et j'ai toujours adoré ça. Nous allons étudier les avions – moteurs à pistons, turbopropulseurs et réacteurs. Nous allons construire une maquette à batterie, atteignant jusqu'à soixante-dix mètres d'altitude. Cela vous enseignera les principes du vol – vitesse, portance, résistance, aérodynamisme – et les contrôles – ailerons et gouvernes. Vous apprendrez à lire une carte aéronautique et à élaborer un vrai plan de vol, un vol que vous effectuerez avec un logiciel de simulation épatant. Nous visiterons notre aéroport de Strattenburg, nous observerons divers avions, puis nous monterons dans la tour pour voir le contrôleur diriger le trafic aérien. Il n'y en a pas beaucoup par ici, mais c'est toujours intéressant de voir comment ça se passe. Dernière étape mais pas la moindre, une fois que vous aurez assimilé les bases, nous volerons pour de bon. Avec la permission de vos parents, je vous emmènerai deux par deux dans mon petit Cessna. On grimpera à mille cinq cents mètres environ, et je vous laisserai piloter l'avion. Je garderai le contrôle des commandes, mais vous percevrez vraiment les réactions de l'appareil. On fera des tours, des montées et des descentes. On choisira une belle journée pour avoir une vue panoramique de Strattenburg et des environs. Alors, messieurs ? Ça vous plaît ?

Les six garçons étaient fascinés, comme hypnotisés par la perspective de cette aventure. Tous les six étaient enthousiastes. L'espace d'un instant, Theo oublia ses problèmes. Le Commandant leur remit les livrets du badge Aviation et leur expliqua leurs devoirs pour la réunion du vendredi suivant. Puis il prit une grande maquette d'avion, la même que celle dont il se servait pour ses vrais cours, et se mit à en décrire les différentes parties.

Theo, en vrai rêveur, commença à se dire que ce serait génial de piloter – des avions de chasse, des 747... Quelle vie fabuleuse – d'abord, l'aventure des duels aériens au-dessus des champs de bataille, puis les voyages internationaux, capitaine d'un luxueux avion de ligne. Theo avait toujours voulu être avocat, mais, à cet instant, le droit et la loi avaient perdu de leur lustre. Être un pilote, cela semblait bien plus passionnant.

À 17 heures précises, le Commandant déclara la réunion terminée. Pour la prochaine fois, il attendait un travail parfait. Les scouts prirent congé, et au moment où ils étaient presque tous sortis :

— Dis voir, Theo, je peux te parler ?

— Bien sûr, Commandant.

Les autres scouts s'en allèrent sur leurs vélos. Theo et le Commandant restèrent sur le pas de la porte.

— Ça ne me regarde pas, dit le Commandant, mais j'ai entendu dire que ça n'allait pas très bien, qu'il y a eu un problème avec la police à propos d'un cambriolage. Je ne joue pas les indiscrets, Theo, je suis juste inquiet.

L'espace d'un instant, Theo pensa qu'il vaudrait mieux ne rien dire. Mais avec sa photo placardée partout sur Internet, son nom associé au délit, et sa culpabilité déjà décidée, cela semblait idiot de faire comme si de rien n'était.

— Oui, monsieur, répondit-il donc. Il semble-rait que je sois le suspect numéro un.

— Donc, tu as rencontré la police ?

— Plusieurs fois. (Theo avait oublié combien, au juste.) La police ne me croit pas, et elle semble décidée à m'inculper du cambriolage.

— C'est absurde, Theo.

— Je suis bien d'accord.

— Écoute, Theo, je travaille comme bénévole au tribunal des mineurs. Si un jeune a des pro-blèmes et qu'il a besoin d'écoute et de conseils, le tribunal me désigne pour lui donner un coup de main. Le jeune a un avocat, bien sûr, mais tu sais comme ils sont occupés. Je travaille avec l'avo-cat dans le meilleur intérêt du jeune. Là où je veux en venir, c'est que je connais très bien les deux juges du tribunal. Je serais heureux d'agir en ta faveur si tu le désires, pas comme conseiller béné-vole parce que tu n'en as pas besoin, mais plutôt pour parler aux juges en coulisse. Cette idée de t'accuser d'un cambriolage est ridicule.

La gorge serrée, Theo réussit à dire :

— Merci, Commandant.

— Je sais que tu es innocent, Theo, et je ferai tout mon possible pour t'aider.

— Merci, répéta Theo, en essayant de dissi-muler son émotion.

18.

Le Commandant serra la main de Theo, lui tapota l'épaule et ferma la porte derrière lui. Theo se dirigea vers son vélo et monta dessus. Il eut une sensation bizarre – et il vit que son pneu avant était à plat.

Une douleur aiguë le saisit à l'estomac – colère, peur, les deux peut-être. Il jeta un œil aux alentours, ne vit personne et resta là à se demander ce qu'il allait faire. Rien ne lui venait à l'esprit. La colère et la perplexité l'empêchaient de penser clairement. Il descendit de vélo et examina le pneu. La crevaison avait un aspect familier...

Theo décida de ne pas aller déranger le Commandant. Il sortit donc du parking son vélo à la main, et arriva sur le trottoir. Plus il avançait, plus son esprit s'éclaircissait. Combien de gens savaient qu'il serait à cette réunion des scouts, ce vendredi à 16 heures ? Soudain, il eut cinq suspects : les autres scouts. Brian et Edward de sa classe, et Bart, Isaac et Sam, des cinquième. Ils avaient garé leurs vélos au même endroit que Theo, et, tandis que le Commandant retardait son départ, l'un d'entre eux aurait pu profiter d'une demi-seconde pour crever le pneu d'un coup de couteau.

Le cabinet Boone & Boone se trouvait à dix rues de là, et Theo était fatigué. Il appela le portable de son père et, étonnamment, celui-ci répondit. Woods Boone, qui méprisait son portable, ignorait en général les appels.

— Papa, c'est moi, dit Theo.

— Oui, Theo, je sais lire ton nom sur mon petit écran. Qu'est-ce qu'il y a ?

— On m'a encore crevé un pneu. Il est plat comme une crêpe. Ça s'est passé devant le bâtiment des vétérans, pendant la réunion des scouts.

— Où es-tu ?

— Dans Bennington, près de la Quatorzième Rue.

— Ne bouge pas. J'arrive dans dix minutes.

Theo s'assit sous un abribus, son vélo inutile à côté de lui. Il pensa à Brian et Edward. Tous deux étaient des garçons bien, de familles sympathiques. Tous deux avaient des casiers tout proches de celui de Theo, et aucun n'avait de raison de lui crever les pneus, de jeter des pierres dans ses fenêtres, de cambrioler un magasin d'informatique, ou de dissimuler des objets volés dans son casier. Theo les considérait comme des amis. Il ne connaissait pas autant les élèves de cinquième, même si tous les scouts de la troupe s'entendaient bien.

Le Commandant insistait là-dessus. Le père de Sam était médecin et sa mère dentiste. Theo ne le voyait pas se comporter en marginal. Bart était un premier de la classe, et peut-être le gars le plus gentil du monde. Sur les cinq, le seul vrai suspect était peut-être Isaac Scheer, un type assez réservé qui semblait lunatique, souvent perturbé, portait des cheveux un peu trop longs et écoutait du heavy metal. Il y avait des problèmes dans la famille Scheer. Une des sœurs aînées avait été arrêtée pour des histoires de drogue. Le père était le plus souvent sans travail et, à ce qu'on disait, il préférait vivre aux crochets de sa femme.

Mais surtout, Isaac avait un frère aîné au collège. Puisque l'équipe des enquêteurs Boone pensait que les attaques visant Theo étaient l'œuvre d'au moins deux personnes, Isaac et son frère faisaient de bons suspects. Comme toujours, cependant, ce fut la question du mobile qui arrêta net Theo. Pourquoi Isaac et son frère, ou n'importe qui d'ailleurs, prendraient-ils tant de peine pour lui gâcher la vie ? C'était absurde.

Mr. Boone arriva dans son 4 × 4. Il ouvrit le coffre et y déposa le vélo de Theo, par-dessus ses clubs de golf. Juge, qui était installé sur le siège passager, fut rétrogradé sur la banquette arrière. Theo prit sa place, bras croisés, le regard fixe. Ils partirent en silence – jusqu'au moment où Theo s'aperçut qu'ils ne rentraient pas chez eux.

— Où est-ce qu'on va, papa ? demanda-t-il.

— Au commissariat.

— D'accord... pourquoi ?

— Parce que je veux que les enquêteurs véri-fient par eux-mêmes ce que je leur ai dit. Il y a quelqu'un qui te harcèle et essaye de te faire por-ter le chapeau pour un délit que tu n'as pas com-mis.

Theo aimait cette idée. Ils se garèrent à côté du commissariat.

— Attends ici, ordonna Mr. Boone.

Il sortit en claquant la portière et pénétra d'un pas énergique dans le bâtiment. Les minutes s'écou-lèrent. Theo expliqua à Juge ce qui se passait. Juge semblait perplexe. L'inspecteur Vorman apparut avec Mr. Boone, qui ouvrit le coffre et posa le vélo sur le pare-chocs arrière. Theo descendit lui aussi et les rejoignit.

— Regardez ça, dit Mr. Boone d'un ton ferme en désignant la crevaison sur le bord du pneu. Le troisième de la semaine.

Vorman s'approcha, palpa le pneu et dit :

— C'est du vandalisme manifeste.

— Certainement, insista Mr. Boone.

— Et où est-ce que ça s'est passé ? demanda Vorman.

— Devant le bâtiment des vétérans, à l'endroit même où le pneu arrière a été crevé mardi der-nier, expliqua Theo.

— Et qu'est-ce que je suis censé faire ? demanda Vorman.

Mr. Boone poussa le vélo dans le coffre, qu'il referma sèchement.

— Vous êtes censé comprendre que celui qui crève les pneus et lance des pierres dans nos vitres est le même que celui qui essaye de faire accuser mon fils de cambriolage. Voilà ce que vous êtes censé faire. Vous êtes censé comprendre que vous perdez votre temps à enquêter sur Theo en l'accusant d'un délit.

« Vas-y, papa », faillit dire Theo.

— Comment pouvez-vous être aussi certain que ces délits sont liés ? demanda Vorman avec son rictus habituel.

— Je vous garantis qu'ils le sont et, tant que vous ne l'aurez pas compris, vous ne saurez pas qui a cambriolé le magasin d'informatique. Vous pouvez perdre votre temps, mais laissez mon fils tranquille. Il est innocent.

— Bien sûr, puisque vous êtes son père, c'est ça ? demanda Vorman en haussant le ton, visiblement agacé. Si j'avais reçu un dollar pour chaque père ou mère venus me jurer que leur petit chéri était innocent... Nous nous passerons de votre aide pour cette enquête, monsieur Boone. Pour l'heure, et en l'absence d'éléments contraires, votre fils reste le principal suspect. Tout l'accuse, conclut Vorman en pointant un doigt furieux vers Theo.

Là-dessus, il leur tourna le dos et partit.

Theo sentit son moral s'effondrer, tout comme son père, sans doute. L'atelier de Gil étant fermé, ils rentrèrent chez eux.

— Tu joues au golf demain ? demanda Mr. Boone.

— Bien sûr, répondit Theo sans enthousiasme.

— Il est censé pleuvoir.

— Évidemment.

Pourquoi ne pas terminer une mauvaise semaine sous des trombes d'eau dans un golf inondé ?

Le dîner du vendredi se passait généralement chez Malouf, un restaurant libanais qui faisait d'excellents fruits de mer, mais ni Theo ni ses parents n'étaient d'humeur. Ils étaient fatigués de cette longue et étrange semaine. L'angoisse constante leur sapait le moral. Depuis trois jours, Theo ne pensait plus qu'à cette fausse accusation, à son arrestation, et peut-être à sa condamnation à de la prison, dans un centre de détention pour mineurs. Il savait que ses parents étaient bien plus inquiets qu'ils ne le montraient. Et la dernière crevaison les avait encore plus perturbés.

Après avoir avalé un sandwich et un bol de soupe, Theo s'excusa et monta dans sa chambre. Ike lui avait envoyé trois SMS pendant l'après-midi ; il voulait savoir si Theo avait obtenu le mot de passe des dossiers numériques du cabinet. Theo n'avait pas répondu, parce qu'il n'arrivait pas à violer les règles non écrites de Boone & Boone. En prenant le mot de passe sur l'ordinateur de Vince, Theo avait accompli un acte malhonnête, qui pesait sur sa conscience. En le transmettant à Ike, sa culpabilité serait pire. D'un autre côté,

Theo en avait assez de reculer, d'être la cible d'un complot aussi magistralement élaboré. Il était temps de riposter. La police semblait décidée à le coincer. L'horloge tournait ; le temps jouait contre lui. La situation pouvait s'aggraver rapidement.

Il appela Ike, qui se trouvait encore à son bureau.

— Il était temps, dit Ike, énervé. Tu as eu le mot de passe ?

— Oui, mais tu dois me convaincre, Ike, que c'est la chose à faire.

— Je te l'ai déjà dit, Theo. Nous ne violons aucune loi. Nous fouinons un peu, c'est tout. Vois-le comme ça. Tu peux te promener dans les bureaux de Boone & Boone et voir des dossiers partout, non ?

— Oui.

— C'est un cabinet d'avocats. Il y a des dossiers sur les tables, des dossiers bien rangés dans des classeurs, des dossiers qui traînent dans la salle de réunion, des dossiers dans des mallettes ouvertes, des piles de dossiers qui attendent qu'on les classe. Des dossiers, des dossiers, des dossiers partout. Maintenant, Theo, est-ce que tu en as déjà pris un pour le parcourir ?

— Oui, répondit Theo après une légère hésitation.

— Bien sûr que oui, et tu n'as enfreint aucune loi, ni aucune règle de déontologie, parce que tu n'es pas encore avocat. Tu étais curieux, c'est tout. Tu fouinais un peu. Nous ne faisons rien d'autre, Theo ; nous fouinons. Certains des dossiers sont stockés dans un casier numérique, et facilement accessibles aux membres du cabinet. Ces mêmes dossiers existent sur papier dans le cabinet, ce sont les mêmes que tu as déjà regardés.

— Je comprends, Ike... c'est juste que cela ne me semble pas bien.

Ike prit une profonde inspiration. Theo se préparait à une vigoureuse réprimande, mais Ike se contenta de répondre avec calme :

— J'essaye de t'aider, Theo. Il faut voir les choses ainsi : les renseignements que nous recherchons resteront entre toi et moi. Nous ne révélerons les secrets des clients à personne. Leur vie privée ne sera nullement violée. Nous essayons juste de résoudre un mystère et, si nous y parvenons, personne ne saura jamais que nous avons fouiné dans les dossiers.

— Mais si tu as accès au centre d'archivage, il y aura une trace de ton passage.

— Ne t'inquiète pas pour ça, Theo. J'utiliserai un code. Impossible de retrouver mes traces. J'ai de l'avance sur vous dans ce domaine. Je ne suis pas un vieux papy dépassé par les nouvelles technologies, Theo.

— Je n'ai pas dit ça.

— En plus, je parie qu'ils vérifient la liste des consultations une fois par an, non ?

— Sans doute.

— Donne-moi le mot de passe, Theo.

— C'est Avalanche88TeeBone33.

— Épelle-moi ça.

Theo obéit, puis lui donna le numéro de compte.

— Bien joué, Theo. Je me mets au travail.

Theo s'allongea sur son lit, les yeux au plafond. Ike était un homme intelligent, il avait été un avocat brillant, mais il avait souvent des idées étranges. Son hypothèse selon laquelle les problèmes de Theo étaient dus à l'une des vilaines affaires de divorce de sa mère était tirée par les cheveux. Mais, au moins, Ike avait une hypothèse. Theo pensa à Isaac Scheer. Plus il y réfléchissait, moins la culpabilité d'Isaac lui semblait plausible.

Theo envoya un SMS à Griff : *Tu as pu trouver le nom du type qui vend les 0-4 ?*

Il attendit dix minutes, puis éteignit son téléphone.

19.

Samedi matin, Theo fut réveillé par des grondements de tonnerre et le martèlement de la pluie sur la vitre. Il émergea du lit et jeta un œil derrière les rideaux. L'eau formait des flaques dans le jardin. Pas de golf aujourd'hui. Juge le suivit au rez-de-chaussée, où ses parents faisaient des crêpes et grillaient des saucisses en parlant du temps, bien sûr. Theo ne comprenait jamais pourquoi les adultes passaient autant de temps à discuter de la météo. Ils ne pouvaient pas la changer.

La ville ne s'intéressait qu'à une nouvelle : Pete Duffy avait été repéré à l'aéroport international O'Hare de Chicago. Il avait essayé de payer en liquide un aller simple pour Mexico, mais il avait dû attendre, car le guichetier avait remarqué quelque chose de bizarre sur son faux passeport. Lorsqu'il était allé en parler à son responsable, Duffy s'était enfui et fondu dans la foule. Le FBI l'avait identifié en relevant une empreinte du passeport et en analysant les enregistrements des caméras. Le journal de Strattenburg publiait une photo de Duffy en première page. Il n'était pas reconnaissable, du moins pour Theo. Il arborait une espèce de béret, des lunettes à monture épaisse, un début de barbe, et avait les cheveux blonds, presque blancs.

— Le FBI possède une technologie capable d'étudier un visage pour y déceler des détails invisibles à l'œil nu, expliqua Mr. Boone comme s'il était un fin connaisseur des techniques du FBI.

Assis à table, Theo mangeait des crêpes, en donnant des bouts à Juge, et scrutait la photo en noir et blanc de Duffy. Il rendait grâce à cet homme d'être revenu à la une. La ville se tournerait peut-être de nouveau vers Pete Duffy, elle oublierait l'autre accusé... Theo Boone.

— Je me demande où il a passé toute cette semaine ? demanda Mrs. Boone, qui lisait la rubrique nécrologique.

— J'imagine qu'il a travaillé son nouveau look, répondit son mari. Sa coupe de cheveux, sa barbe. Et son béret, là... Pitié. Un type qui se promène avec un béret dans l'aéroport de Chicago va forcément attirer l'attention.

— Il ne ressemble vraiment pas à Pete Duffy, commenta Theo.

— C'est pourtant lui, déclara Mr. Boone avec assurance. Il a changé de tête, il a trouvé de l'argent liquide et il s'est acheté de nouveaux papiers, même s'ils ne doivent pas être très bons... et il a failli s'enfuir.

— J'aimerais m'enfuir, intervint Theo.

— Theo... dit sa mère.

— C'est vrai, maman. J'aimerais filer d'ici et me cacher quelque part.

— Tout ira bien, Theo, assura Mr. Boone.

— Ah, vraiment ? Et comment, à ton avis ? J'ai les flics à mes trousses, prêts à me traîner au tribunal des mineurs. Et il y a un dingue qui me poursuit dans toute la ville avec un couteau, prêt à crever les pneus de mon vélo encore une fois. Ah, c'est sûr, papa, tout va bien se passer.

— Détends-toi, Theo. Tu es innocent et ce sera prouvé.

— OK, papa, voilà la question : est-ce que tu penses que le cambrioleur de Big Mac est le même qui a crevé les pneus, jeté des pierres et répandu ces horreurs sur Internet ?

Mr. Boone mâchonna un bout de saucisse quelques instants puis répondit :

— Je pense, oui.

— Maman ?

— Moi aussi.

— Avec moi, ça fait trois. Pour moi, c'est évident. Pourquoi est-ce qu'on n'arrive pas à convaincre la police ?

— Je pense qu'on le peut, dit Mr. Boone. Ils enquêtent encore sur le cambriolage. Je fais confiance à la police et je pense qu'ils attraperont le coupable.

— Je crois qu'ils ont déjà décidé que c'était moi. Ce Vorman, il est persuadé que je mens. Je ne l'aime pas. Il me donne la chair de poule.

— Tout va bien se passer, Theo, dit Mrs. Boone en lui tapotant le bras.

Tout à coup, Theo surprit le regard qu'elle jeta à son père. Il n'y lut aucune confiance. Ils étaient aussi inquiets que Theo, voire davantage. Après le petit déjeuner, Theo et son père se rendirent chez Gil pour changer encore de pneu. À la demande de Mr. Boone, Gil alla récupérer les deux premiers pneus endommagés. Il les donna à Mr. Boone, qui disposait maintenant d'une collection de trois. Mr. Boone paya pour les numéros deux et trois, ainsi que les huit dollars que Theo devait pour le premier. Gil leur avait certifié qu'il n'y avait aucune épidémie de crevaison en ville ; en fait, il n'en avait vu que trois de toute la semaine, et tous appartenaient à Theo.

Au-dehors, la pluie s'était arrêtée, mais le ciel restait nuageux et menaçant. Theo et son père envisagèrent un moment de se rendre au golf et d'attendre que le temps se dégage. Mais le parcours serait inondé et, s'il ouvrait en fin de matinée, il y aurait foule. Or Theo savait qu'un golf plein de monde était pire que pas de golf du tout. Ils en conclurent que ce n'était pas une bonne idée.

Ike avait envoyé deux SMS pendant la matinée. Il voulait voir Theo. De retour à la maison, Theo traîna un peu en surveillant la météo. Au bout d'une heure, il déclara qu'il s'ennuyait et que Ike l'avait invité à déjeuner. Ses parents donnèrent leur accord, et Theo partit à vélo.

Ike avait plus mauvaise mine que d'habitude. Il avait les yeux rouges et bouffis, avec des cernes sombres.

— J'ai fait une nuit blanche, expliqua-t-il à Theo. Je n'ai pas fermé l'œil. J'ai passé toute la nuit à lire les dossiers du divorce, et je peux te dire une chose, Theo, il y a pas mal de pauvres gens à qui il en faut un, de divorce. Je n'ai jamais été aussi déprimé de ma vie. Je ne sais pas comment fait ta mère pour supporter ça tous les jours. Des femmes accusent leurs maris de comportements horribles. Des maris accusent leurs femmes de pire encore. Ils s'arrachent les yeux pour savoir qui aura la maison, les voitures, les comptes en banque, les meubles, mais quand on en arrive aux gosses... c'est pire qu'un combat de rue. C'est vraiment affreux, Theo.

Theo l'écoutait sans rien dire. Ike était excité, sans doute par le café et l'une de ses boissons énergisantes. Ike reprit aussitôt :

— Donc, je soutiens toujours ma théorie. Pas toi ?

— Bien sûr, Ike. C'est la meilleure pour l'instant.

— Merci.

— On m'a encore crevé un pneu hier, aux scouts.

Ike réfléchit.

— Il faut qu'on les trouve, Theo.

— La police ne me croit pas, Ike.

— Il faut qu'on agisse vite. (Ike feuilleta son bloc-notes.) J'ai isolé deux affaires que j'aimerais examiner. Dans les deux cas, ce sont de vilains divorces du registre « Sécurisé », ce qui signifie bien sûr que le tribunal a mis les dossiers sous clé, pour que seuls les avocats y aient accès. Le premier concerne Mr. et Mrs. Rockworth. Je ne vais pas t'assommer de détails, mais disons que Mr. Rockworth n'aime pas ta mère. Il y a deux enfants dans l'histoire, une bagarre énorme pour avoir la garde, et les deux parents s'entendent joliment à prouver qu'ils ne sont capables ni l'un ni l'autre d'élever leurs gosses. Après un procès difficile, Mrs. Rockworth a obtenu la garde, et Mr. Rockworth, un bon droit de visite pour ses enfants, qui sont tous les deux suivis par un psychologue. Le juge a ordonné à Mr. Rockworth de payer dix-huit mille dollars en frais d'avocats au cabinet Boone & Boone. Tu connais quelqu'un du nom de Rockworth ?

— Non. Quel âge ont les enfants ?

— Le garçon a douze ans, il est en cinquième au collège. Il a une sœur aînée de quinze ans. Manifestement, tous deux voulaient vivre avec leur père. La famille habite ici depuis deux ans seulement, ce qui explique pourquoi tu n'as pas entendu parler d'eux.

— Ce seraient eux les suspects numéro un ?

— Oh, non, juste une possibilité. J'ai de bien meilleurs candidats : les Finn furieux ! Le procès est prévu pour le mois prochain, donc le divorce est loin d'être finalisé. Ces gens ont dépensé jusqu'au dernier sou pour prouver que l'autre est encore plus immonde. Mrs. Finn est bien attaquée, elle a été internée un moment. Mr. Finn boit comme un trou et joue trop. Toutes sortes de mauvaises habitudes, et des deux côtés. Il ont trois enfants, mais la fille de dix-huit ans est déjà partie. Les deux autres ont douze et quatorze ans, tous deux des garçons, et ils n'aiment vraiment pas leur mère qui, bien sûr, est représentée par la tienne. Ça crée des tas d'ennuis, et je peux t'assurer, Theo, que Mr. Finn et les deux garçons éprouvent une forte antipathie pour ta mère et pour tous les autres Boone. Ce divorce dure depuis plus d'un an et c'est un cercle vicieux. Ces gens se sont littéralement rendus fous.

— Comment s'appellent les garçons ?

— Jonah Finn, douze ans, en cinquième. Jessie Finn, quatorze ans, en troisième.

Theo essaya de remettre des visages sur ces noms, mais en vain.

— Connais pas.

— Je croyais qu'au collège, on t'appréciait plutôt, Theo. Tu ne connais personne ?

— Ike, je suis en quatrième. Nous ne fréquentons pas trop les cinquième, qui ne voient pas beaucoup les sixième, et ainsi de suite. Nous avons des cours et des emplois du temps différents. Qu'est-ce que tu sais d'eux ?

— Pas grand-chose de plus, au moins pour le plus jeune, Jonah. Le tribunal a nommé un tuteur pour veiller sur lui, et les deux garçons ont exprimé un vif désir de vivre avec leur père. Leur mère, par l'intermédiaire de sa talentueuse avocate, affirme que ces jeunes gens veulent vivre avec leur père parce qu'il les laisse faire tout ce qu'ils veulent, y compris fumer des cigarettes et boire de la bière. Tu imagines un élève de cinquième boire de la bière chez lui avec son père ?

— Non. Ce sont des durs, alors ?

— Ils ont eu une vie difficile, ils ont beaucoup déménagé, et donc dû changer de domicile et d'école. Pas beaucoup de stabilité. Ces deux garçons doivent être livrés à eux-mêmes. L'an dernier, Jonah s'est fait prendre avec de la marijuana et il est passé devant le tribunal pour mineurs. Il s'en est tiré avec une mise à l'épreuve. Il y a trois mois, les deux garçons ont été placés en famille d'accueil pour leur sécurité, jusqu'à ce que le divorce soit prononcé, mais ils n'arrêtaient pas de s'enfuir. Pour l'instant, ils vivent chez leur mère, qui travaille de nuit à l'hôpital. Je serais étonné qu'ils soient très surveillés. C'est le chaos, Theo, mais ces deux-là sont nos principaux suspects. Tout coïncide. Une équipe de deux. Une forte antipathie pour ta mère. Le mobile de la vengeance. La capacité de vandaliser un casier, voire de cambrioler un magasin. Il faut qu'on en sache plus sur eux.

— Ma mère ne s'occupe pas d'un divorce au nom de Mr. et Mrs. Scheer, j'imagine ?

Ike vérifia ses notes.

— Non, pourquoi ?

— Une simple intuition. Il y a un des scouts qui est un peu étrange, c'est tout.

— Je n'ai aucun dossier sur eux.

Ike et Theo réfléchirent un long moment à la situation. Theo dit enfin :

— Il faut que je te parle de mon ami Griff.

Il lui raconta l'histoire d'Amy, la sœur de Griff, de son ami Benny et de son ami Gordy, qui s'était fait proposer une tablette Linx 0-4 neuve pour cinquante dollars par un élève inconnu sur le parking. Les yeux rougis d'Ike s'éclairèrent.

— Ça pourrait être énorme, Theo, dit-il.

— Et si c'est Jessie Finn qui essaye de vendre la tablette ? demanda Theo.

— Il faut vérifier ça, Theo.

— Mais comment ?

— Si on arrive à mettre la main sur une tablette volée, on l'apportera tout de suite à la police qui vérifiera le numéro de série. Si elle vient de chez Big Mac, alors ils te laisseront pour s'en prendre à ces petits voyous de Finn.

Ike sortit son portefeuille et en tira une liasse de billets.

— Tiens, voilà cinquante dollars. Mets-les dans ta poche, va voir Griff, et dis-lui de parler à sa sœur. Allez, vas-y.

Theo prit l'argent puis demanda :

— Et si ça ne marche pas ? Si ce Gordy refuse d'acheter une tablette volée, ou que l'autre l'a déjà vendue à quelqu'un d'autre ?

— On ne saura pas tant qu'on n'aura pas essayé. Vas-y, Theo. Fais-le. Et entre-temps, trouve tout ce que tu peux sur Jonah et Jessie Finn.

— Merci, Ike.

— Et ne t'inquiète pas parce que j'ai fouiné dans les dossiers de ta mère. Si c'est les Finn, et qu'on résout ce petit mystère, je parlerai à Marcella et Woods et j'endosserai toute la responsabilité. Crois-moi, j'ai fait bien pire.

— Merci, Ike.

— Tu l'as déjà dit. File, maintenant.

— On déjeune ?

— Je n'ai pas faim. J'ai sommeil. À plus tard.

20.

Les averses s'étaient arrêtées, mais le ciel restait menaçant. Theo fonça à Levi Park, situé sur une falaise qui dominait la rivière Yancey, à l'extrémité orientale de Strattenburg. Tout en pédalant furieusement, il espérait que le marché paysan n'avait pas été annulé à cause de la pluie : il était curieux de voir Lucy le lama. Avait-elle encore attaqué Buck Bla-Bla ? Ou son acolyte Frankie ? Et lui, Theo, serait-il à nouveau obligé de comparaître devant le tribunal pour animaux afin de sauver le compagnon chéri de Miss Petunia ?

Le marché était encore ouvert. Bon nombre de marchands s'abritaient sous des auvents, tandis que leurs clients déambulaient, sac et parapluie à la main. Le sol était détrempé ; les semelles étaient couvertes de deux bons centimètres de boue. Lucy se trouvait à côté de Miss Petunia, dégoulinante de pluie mais imperturbable. Deux petits enfants s'arrêtèrent pour la contempler, bouche bée. Elle semblait inoffensive. Près de l'entrée, un tout petit homme en uniforme marron mangeait du pop-corn en discutant avec une dame qui vendait des hot dogs frits. Ce devait être Frankie. Buck n'était visible nulle part.

Theo salua Miss Petunia, qui fut ravie de voir son avocat. Elle le serra dans ses bras, le remercia encore pour son incroyable héroïsme au tribunal, et l'informa avec joie que pour l'instant Lucy s'était bien tenue ce matin, tout comme les deux vigiles. Pas de crachats, pas de course-poursuite, rien d'extraordinaire. Personne ne s'était plaint.

À côté de Miss Petunia se trouvait le stand des fromages de chèvre, œuvre de May Finnemore, qui était en train de tricoter, assise sur une chaise pliante. Son singe araignée, Grenouille, était suspendu au mât qui soutenait l'auvent. Pourquoi un singe araignée avait-il été baptisé Grenouille, on ne l'avait jamais vraiment expliqué à Theo. Il avait demandé à April et, plus d'une fois, elle avait répondu : « Tu sais, c'est ma mère, Theo. » Bien des choses chez May Finnemore restaient incompréhensibles. Theo évitait cette femme le plus possible, mais aujourd'hui c'était impossible. May se leva et gratifia Theo d'une embrassade maladroite.

— April est là, dit-elle.

— Où ? demanda Theo, ravi de la voir.

April n'aimait pas le marché paysan et s'installait rarement avec sa mère quand celle-ci vendait son infâme fromage. Theo l'avait goûté une ou deux fois et il avait envie de vomir chaque fois qu'il le voyait ou le sentait.

— Elle est partie par là, indiqua Mrs. Finnemore en désignant une rangée de stands.

Theo la remercia et disparut sans demander son reste. Guettant une apparition de Buck Bla-Bla, il passa devant une dizaine de vendeurs, pour la plupart en train de remballer leurs marchandises et de fermer boutique. April se tenait à côté d'un petit stand où un vieil homme barbu crayonnait le portrait d'une adolescente assise sur une caisse devant lui. Pour dix dollars seulement, « Mr. Picasso » faisait votre portrait en moins de dix minutes. Il exposait une demi-douzaine d'échantillons – Elvis, John Wayne, et d'autres.

— Salut, dit Theo.

— Salut, Theo, répondit-elle en souriant. (Elle s'approcha pour regarder son visage.) Je croyais que tu avais une lèvre fendue.

— C'est vrai. Mais ça a dégonflé.

April eut l'air déçue de sa blessure.

— Comment s'est passée l'exclusion ?

— C'est surfait. Franchement ennuyeux, même. Le collège m'a manqué. Qu'est-ce que tu fais ici ?

— Ma mère m'a suppliée de venir aujourd'hui, expliqua April. Elle pense qu'on aura besoin d'un témoin supplémentaire au cas où Lucy cracherait sur des gens. Pour l'instant, elle n'en a pas eu envie. Et toi, pourquoi es-tu ici ?

— Je suis venu voir si Lucy avait besoin de repasser au tribunal. On peut parler dans un endroit tranquille ?

— Bien sûr.

April était une fille discrète qui comprenait l'importance des secrets. Sa vie de famille était une catastrophe, et elle se confiait souvent à Theo, qui l'écoutait avec attention. À présent, c'était à son tour de l'écouter. Ils s'assirent à une petite table près d'un marchand de glaces et, une fois que Theo fut certain que personne ne pouvait les entendre, il raconta tout à April.

Le marchand de glaces fermait et devait récupérer leur table. Ils reprirent leur promenade, déambulant devant l'entrée du marché.

— C'est horrible, Theo. Je n'arrive pas à croire que la police t'accuse.

— Moi non plus, mais je dois avoir l'air bien coupable.

— Qu'est-ce que tes parents en pensent ?

— Ils sont inquiets, et j'ai l'impression qu'ils discutent beaucoup quand je ne suis pas là. Tu sais comment sont les parents.

— Pas vraiment. Tu as des parents normaux, Theo. Moi non.

Theo ne sut quoi répondre.

— Et Ike pense que ça pourrait être lié à un divorce difficile ?

— Oui, c'est sa théorie, et elle est pas mal du tout. Tout le reste semble absurde.

— Je connais un peu Jonah Finn.

— Ah bon ?

— Pas bien, juste un peu.

— Alors ? demanda Theo.

— Eh bien... il a des problèmes. C'est un solitaire, un marginal, un garçon vraiment futé mais qui a des mauvaises notes. Je pense que sa famille est aussi dingue que la mienne.

— Comment tu le sais ?

— Il y a un type dans sa classe, Rodney Tapscott, qui vit en face de chez moi, et il traîne parfois avec Jonah. Tu connais Rodney ?

— Je sais qui c'est, mais je ne le connais pas vraiment. Il ne joue pas de la batterie ?

— Oui, il essaye. On l'entend de l'autre côté de la rue.

— Tu peux lui parler ? demanda Theo.

— De quoi ?

— De Jonah Finn. Il faut que j'en sache un maximum sur lui. Pour l'instant, c'est mon seul suspect et j'ai besoin de renseignements.

— Je verrai ce que je peux faire.

— Ah, et puis c'est top secret, April. Je ne peux pas fouiner et courir ainsi le risque de me faire prendre, et on ne peut accuser personne. On n'est vraiment sûrs de rien, tu comprends ?

— Compris, Theo.

April mise à part, les deux amis en qui Theo avait le plus confiance étaient Woody Lambert et Chase Whipple. Theo prétendit qu'ils devaient profiter de ce samedi pluvieux pour commencer un projet de chimie, et il convainquit ses deux amis de le retrouver pour élaborer un plan.

En réalité, Chase était la dernière personne avec laquelle Theo aurait fait équipe dans un labo de chimie. Chase était un scientifique fou et brillant, avec de nombreuses expériences désastreuses derrière lui. Il avait déclenché des incendies, provoqué des explosions, et quand Chase était au travail aucun labo n'était à l'abri. Il avait été interdit de labo au collège, à moins d'être surveillé de près par un professeur. Woody, lui, ne s'intéressait ni aux maths ni à la science, mais il se débrouillait bien en histoire et en instruction civique.

Ils se retrouvèrent dans la salle de jeux des Whipple, au sous-sol. Après une demi-heure de ping-pong, ils en vinrent aux choses sérieuses. Bien sûr, ils durent d'abord rejouer la bagarre. Chase, qui n'avait jamais frappé quelqu'un par colère, avait assisté, fasciné, à toute cette scène palpitante. Woody leur raconta que sa mère lui avait crié dessus, avant de se mettre à pleurer, alors que son père, lui, s'était contenté de hausser les épaules en soupirant : « Ah, les garçons... ».

Theo leur fit promettre le secret. Il leur demanda même de lever la main droite en jurant de ne rien dire et, une fois satisfait, il leur raconta toute l'histoire. Tout. Les pneus crevés, la vitre brisée, le casier ouvert, le butin caché, les interrogatoires avec les enquêteurs. Tout. Puis il parla d'Ike et de ses recherches, sans avouer toutefois qu'il avait pris un mot de passe dans l'ordinateur de Vince. Il expliqua qu'Ike avait parcouru les dossiers de divorce du cabinet et identifié un suspect, ou des suspects probables.

— C'est génial, dit Woody.

— C'est logique, ajouta Chase. Celui qui est derrière tout ça, c'est quelqu'un qui te déteste sans même que tu le saches.

Theo leur parla des garçons Finn et du pénible divorce de leurs parents.

— Mon frère est en seconde, dit Woody. Je me demande s'il connaît Jessie Finn.

— Il faut qu'on sache, dit Theo. Dans l'immédiat, c'est ça notre projet : découvrir tout ce qu'on peut sur ces deux-là.

Pendant que Chase montait chercher son ordinateur, Woody sortit son téléphone pour appeler son frère Tony, mais il tomba sur sa messagerie.

Theo appela Griff. Celui-ci n'avait pas réussi à connaître le nom de l'élève de troisième qui essayait de vendre des tablettes 0-4 au marché noir. Griff promit qu'il continuerait à se renseigner.

Mrs. Whipple, une bonne amie de Mrs. Boone, elle aussi avocate, leur apporta une assiette de cookies et du lait. Elle leur demanda comment allait leur projet de chimie et tous trois affirmèrent que c'était passionnant d'avancer ainsi. Après son départ, Chase consulta le site de l'établissement où se trouvait Jessie. Au bout de quelques minutes, il déclara :

— C'est un collège et lycée. Il y a trois cent vingt élèves de troisième. À votre avis, combien s'appellent Jessie ?

— Quatre ? dit Woody.

— Trois ? hasarda Theo.

— Deux, répondit Chase. Jessie Finn et Jessie Neumeyer. Il faut que Griff nous donne le nom.

— J'essaye, dit Theo.

— Griff ! siffla Woody. La prochaine fois que je le croise à l'extérieur du collège, je l'assomme. Je n'arrive pas à croire qu'il m'ait sauté dessus comme ça. Quel petit crétin.

— Laisse tomber, dit Theo. Griff est de notre côté, à présent. D'ailleurs, il s'est excusé. Et Baxter aussi.

— Baxter ne s'est pas excusé auprès de moi. J'aimerais bien voir son œil, en ce moment. Il doit être tout noir et bleu.

Chase tapa sur Google Earth l'adresse des Finn dans Edgecomb Street, près de l'université.

— Tenez, voilà leur maison.

Theo et Woody s'approchèrent de l'écran. Les Finn habitaient une maison en bois blanche, à un étage, dans une rue où s'alignaient des maisons similaires. Elle n'avait rien de spécial ou de différent. Une petite piscine hors sol se trouvait dans le jardin, et on voyait un appentis contre la barrière. Des informations sympathiques, mais sans grande valeur.

Le téléphone de Theo vibra. Il jeta un œil à l'écran.

— C'est Griff.

Griff expliqua à Theo que sa sœur avait enfin contacté Benny, et que Benny avait appelé Gordy ;

Gordy lui avait appris à contrecœur que le vendeur des tablettes O-4 s'appelait Jessie quelque chose, qu'il ne connaissait pas son nom de famille et ne savait presque rien sur lui. Griff assura Theo que sa sœur n'avait pas révélé les raisons de ses questions. Theo lui répéta encore une fois que tout devait rester secret.

— Bon, on fait des progrès, commenta Woody.

— Pourquoi on n'irait pas voir la police ? demanda Chase. Ils peuvent parler aux deux Jessie de troisième et savoir lequel des deux vend ces trucs.

— C'est trop tôt, dit Theo. Imaginez que ce soit Jessie Finn. Quand les policiers viendront le voir, qu'est-ce qu'il va faire ? Avouer qu'il a un tas d'ordinateurs et de téléphones volés ? Tout confesser à genoux ? Eh non ! Il niera tout, et si la police ne trouve rien de volé dans son sac, elle ne pourra rien faire. Jessie se fera tout petit et on ne retrouvera jamais rien.

— Theo a raison, ajouta Woody. Il faut qu'on les lui achète. Ensuite, on les donnera à la police et ils vérifieront les numéros de série.

— Comment est-ce qu'on va s'y prendre ? s'enquit Chase.

— C'est la grande question, répondit Theo. D'abord, on commence par Gordy. S'il accepte de nous aider, alors on pourra contacter Jessie Finn et acheter la tablette.

— Je ne connais pas ce Gordy, intervint Woody, mais je doute qu'il soit bête à ce point. Pourquoi est-ce qu'il irait s'impliquer dans ces salades ? On ne peut pas vraiment lui demander d'acheter une tablette qu'il sait volée, puis de nous la donner pour qu'on l'apporte directement à la police.

— Gordy n'aura pas d'ennuis, dit Theo. Pas s'il nous aide à résoudre une affaire.

— Je ne crois pas, insista Woody.

— Je suis d'accord avec Woody, ajouta Chase.

— Et ton frère Tony ? demanda Theo.

— Tu es sûr qu'il n'aura pas d'ennuis ?

— Absolument certain. S'il aide la police à retrouver des objets volés, ils le remercieront avec une tape dans le dos. Il se trouve que je connais le droit, tu t'en souviens ?

— Ça, on aurait du mal à l'oublier... commenta Chase.

— Bon, comme vous savez, Tony, lui, est capable de tout, dit Woody. C'est un abruti et il adore se mêler des affaires des autres. Excellente idée, Theo. Mais où est-ce qu'on va trouver cinquante dollars ?

— Je les ai déjà, répondit Theo.

Woody échangea un regard avec Chase.

— Comment se fait-il que je ne sois pas surpris ?

— Rappelle ton frère, demanda Theo.

Woody s'exécuta. Il sourit au téléphone.

— Hé, salut, Tony, c'est moi.

Ils parlèrent quelques minutes et Woody ne fit pas allusion à leur idée d'utiliser ses services. Il expliqua qu'ils avaient besoin d'informations croustillantes sur un troisième qui s'appelait Jessie Finn. Tony ne le connaissait pas, mais il répondit qu'il allait se mettre en chasse.

Pendant une demi-heure, les trois réfléchirent à la manière de coincer les Finn, dont la culpabilité leur paraissait désormais évidente. Chase dénicha leurs photos dans un annuaire d'élèves et imprima des agrandissements de leurs visages. Theo les examina, mais il était sûr de ne jamais les avoir vus. Jessie Finn avait une page Facebook (pas Jonah) ; Chase la parcourut sans rien y trouver d'intéressant. Soudain, Woody, vautré sur le canapé et jouant avec une balle de ping-pong, se rappela une histoire.

— En fait, c'est tout à fait logique. J'ai deux cousins qui habitent près de Baltimore et, l'année dernière, leurs parents ont divorcé dans de mauvaises conditions. C'était horrible. Je me souviens que mes deux cousins médisaient de l'avocat de leur père. Ils le détestaient vraiment, alors qu'il faisait juste son travail, j'imagine. Est-ce que ta mère s'inquiète de ça, Theo ?

— Certainement, mais elle n'en parle jamais.

— C'est son travail, commenta Chase – lui-même fils d'avocat.

21.

Dimanche matin, Theo était à l'église assis entre ses parents ; il essayait de se concentrer sur le sermon du révérend Judd Koker, mais c'était difficile. Par une ironie cruelle, le message portait sur les méfaits des larcins et du vol, et Theo avait l'impression d'être visé. Il avait surpris quelques regards avant le début du service, et il faillit s'enfuir lorsque Mrs. Phyllis Thornberry passa devant leur banc et lâcha qu'ils « priaient pour Theo ». Mrs. Thornberry, membre de l'Église de très longue date, était une effroyable commère. Les parents de Theo résistèrent à la tentation de l'informer que Theo allait très bien. Gardez vos prières pour ceux qui en ont vraiment besoin.

Theo aimait bien le révérend Koker. Il était jeune et énergique, ses sermons étaient non seulement parsemés d'humour mais en plus courts. Son prédécesseur, « Pasteur Pat », comme on l'appelait, avait dirigé cette église pendant trente ans et, selon Theo, était un prédicateur lamentable. Ses sermons, aussi long qu'ennuyeux, assommaient en quelques minutes même les fidèles les plus dévots. Le révérend Koker, lui, connaissait l'art des harangues courtes et, depuis les débuts récents de son ministère, il avait été bien accueilli.

Le sermon portait sur les différentes manières de voler, qui toutes étaient condamnables aux yeux de Dieu. Le huitième commandement proclamé par Moïse était « Tu ne voleras point », qui signifiait bien sûr qu'il ne fallait pas prendre la propriété d'autrui. Le révérend Koker développait, pourtant, en ajoutant d'autres formes de vol. Voler du temps à Dieu, à la famille, aux amis. Voler le don divin de la santé, en ayant de mauvaises habitudes. Voler l'avenir en manquant les opportunités du présent. Et ainsi de suite. C'était franchement obscur. Theo se déconcentra assez vite et commença à penser aux Finn... et surtout à la façon dont il pourrait retrouver les objets volés que les deux frères essayaient peut-être de vendre.

Pourtant, Theo le savait fort bien : la première chose que dirait son père dans la voiture serait : « Alors, Theo, qu'est-ce que tu as pensé du sermon ? » Il fit donc un effort désespéré pour se concentrer, mais c'était bien la seule raison.

En jetant un œil autour de lui, il vit qu'il n'était pas le seul à rêvasser. Ce n'était pas un bon sermon. Son esprit battait de nouveau la campagne. Il se demanda comment tous ces braves gens assis autour de lui réagiraient si « le mignon petit

Teddy Boone » était arrêté et traîné au tribunal. Et que penseraient-ils s'il ne pouvait plus venir à l'église parce qu'il était enfermé dans un centre pour mineurs ?

C'était trop horrible. Theo essaya de se concentrer à nouveau, mais en vain. Il commença à s'agiter, et sa mère lui serra le genou. Il regarda sa montre, mais elle semblait s'être arrêtée.

C'était le deuxième dimanche du mois, et l'atmosphère était lourde chez les Boone. Le deuxième dimanche, Theo et ses parents ne quittaient pas l'église pour rentrer directement chez eux, où ils déjeuneraient de sandwichs, liraient les journaux, regarderaient un match à la télévision, feraient la sieste et respecteraient le repos dominical. Non, monsieur. Le deuxième dimanche, il y avait cet horrible rituel au sujet duquel Theo et ses parents échangeaient des paroles peu amènes. En effet, le deuxième dimanche du mois, les Boone et trois autres familles avaient établi une tradition de brunch tournant ; Theo devait donc subir un long repas assis à une longue table remplie d'adultes en les écoutant parler de sujets qui ne l'intéressaient guère. Theo était un enfant de parents âgés, et il était de loin le plus jeune invité des Deuxièmes Dimanches.

Le plus vieux était un juge à la retraite nommé Kermit Lusk, également ancien de l'Église, un homme d'une grande sagesse et d'un grand humour. Comme sa femme, il approchait les quatre-vingts

243

ans, et leurs enfants étaient partis depuis longtemps. Cette fois, c'était leur tour d'accueillir le brunch, dans leur petite maison biscornue qui avait vraiment besoin d'un ravalement, du moins aux yeux de Theo. Malheureusement, ses opinions n'intéressaient pas grand monde lors de ces repas insupportables.

Dans la voiture, Mr. Boone lui demanda comme d'habitude :

— Alors, Theo, qu'est-ce que tu as pensé du sermon ?

— C'était ennuyeux et tu le sais bien, riposta Theo, que la colère reprenait déjà. Je me suis endormi deux fois.

— Ce n'était pas l'un de ses meilleurs, reconnut Mrs. Boone.

Ils roulèrent en silence jusque chez les Lusk. Plus ils s'approchaient, plus la tension devenait palpable. Au moment où ils se garaient, Theo déclara :

— Je vais rester dans la voiture. Je n'ai pas faim.

— On y va, Theo, rétorqua sévèrement son père.

Theo sortit en claquant la portière et suivit ses parents. Il avait horreur de ces brunchs et ses parents le savaient. Heureusement, il sentait une légère faiblesse chez sa mère, peut-être un peu de compassion. Elle savait à quel point il était malheureux, et elle le comprenait.

Theo entra en affichant un grand sourire métallique et hypocrite. Il dit bonjour à Mr. et Mrs. Garbowski, un couple agréable de l'âge de ses parents. Les Garbowski avaient un fils de seize ans, Phil, qui avait menacé de fuguer si ses parents le forçaient à les accompagner au brunch du Deuxième Dimanche. Les Garbowski avaient cédé et Phil était resté à la maison. Theo l'admirait beaucoup et réfléchissait à une stratégie similaire. Il salua Mr. et Mrs. Salmon. Mr. Salmon possédait une scierie et sa femme enseignait à l'université. Ils avaient trois enfants, tous plus grands que Theo, et aucun présent.

« Génial, pensa Theo. Huit adultes et moi. »

Comme rien ne donne plus faim que d'être assis à l'église en attendant le déjeuner, le groupe passa rapidement à table. Pendant que le juge Lusk disait les grâces, une gouvernante apparut avec le premier plat, une salade. Une salade sans accompagnement, remarqua Theo. Eh oui, la vinaigrette était chère, pas vrai ? Où était la sauce ? Pourtant, il se jeta dessus tellement il avait faim.

— Qu'est-ce que vous avez pensé du sermon ? demanda le juge Lusk.

Comme les quatre familles se rendaient à la même église, le sermon était généralement le premier sujet de conversation. « Génial, pensa Theo. Déjà que je l'ai subi en vrai, voilà que la torture recommence. » Si mauvais qu'ait été le sermon, tout le monde affirma pourtant qu'il avait été tout à fait exceptionnel. Même Pasteur Pat, en son temps, avait reçu des critiques d'un enthousiasme

délirant, malgré quelques remarques du genre :
« Il aurait peut-être pu en enlever un quart d'heure. »

Le plat principal était un délicieux poulet rôti.
Theo, qui se tenait parfaitement à table parce que
sa mère le surveillait en permanence, se jeta dessus
et mangea comme un réfugié. La vieillesse arrivant,
Mrs. Lusk avait cessé de cuisiner – une décision
bien accueillie. Sa gouvernante était une excellente
cuisinière. Le prochain brunch se tiendrait chez les
Garbowski, puis viendrait le tour des Boone. La
mère de Theo ne prétendait pas préparer de repas
gastronomiques, et s'en remettait à une cuisinière
turque qui faisait des plats incroyables.

À la grande joie de Theo, la conversation se
porta ensuite sur Pete Duffy et ses aventures de
la semaine passée. Les convives discutèrent vivement de ce sujet, tout le monde voulant donner
son opinion et rapporter les dernières rumeurs.
Le verdict fut unanime : tous étaient convaincus
que Duffy avait assassiné sa femme. Sa fuite était
une preuve supplémentaire de sa culpabilité. Mr. Salmon affirmait bien le connaître et pensait qu'il
avait mis de grosses sommes de côté en liquide,
et qu'on ne le retrouverait sans doute jamais. Le
juge Lusk n'était pas de cet avis : puisque Duffy
avait failli se faire prendre à Chicago, cela prouvait
que, tôt ou tard, il commettrait une nouvelle
erreur.

Theo mangeait en silence, écoutant avec intérêt.
La conversation portait d'habitude sur la politique
et les événements de Washington, mais là, c'était

bien plus captivant. Soudain, Theo eut une pensée horrible. Comment ces gens parleraient-ils de lui, un de ces jours ? L'un d'eux avait-il déjà été accusé ? Il en doutait fortement. Chuchotait-on déjà dans leur dos ?

Theo finit son assiette et attendit le dessert. Mais ce qu'il attendait vraiment, c'était 14 heures, le moment magique de partir.

Dimanche en fin d'après-midi, Theo traversa la ville à vélo pour retrouver April chez un marchand de glaces, près de l'université. April prit un yaourt glacé et Theo sa glace au chocolat préférée, recouverte de pépites. Ils s'installèrent dans un coin, à l'écart.

— J'ai parlé à Rodney Tapscott, chuchota-t-elle. Je suis allée chez lui hier soir et on a regardé la télé.

— Vas-y, j'écoute.

— Eh bien, sans éveiller les soupçons, j'ai réussi à parler de Jonah Finn. Rodney sait que nous sommes proches, toi et moi, donc j'ai fait attention de ne pas avoir l'air trop curieuse. D'après Rodney, Jonah est un garçon bizarre qui l'est encore plus depuis que ses parents divorcent. Il est lunatique, agressif même. Jonah n'a pas beaucoup d'amis. Il mendie de l'argent à Rodney et à d'autres pour se payer son déjeuner. Ses notes sont de plus en plus mauvaises. Rodney m'a raconté qu'un jour, Jonah lui avait dit qu'il détestait ta mère. Je lui ai demandé pourquoi. D'après Rodney, c'est parce que leur père rend ta mère responsable de la plupart de leurs problèmes, qu'elle essaye de faire vivre Jonah et son frère avec leur mère, alors qu'ils n'en ont vraiment pas envie.

— C'est bien ce que je pensais.

— D'après Rodney, le père de Jonah dit beaucoup de mal de ta mère. Tout cet argent qui part en honoraires d'avocats, et en plus il y a ta mère qui veut lui faire payer une pension alimentaire colossale. Rodney m'a demandé si tu étais sympa, toi, et bien sûr j'ai dit oui.

— Merci.

— De rien. On en arrive à la partie intéressante. Rodney n'a jamais vu Jonah avec un téléphone portable. Les cinquième ne sont pas censés en avoir au collège de toute façon, mais la semaine dernière, ça devait être jeudi, à l'heure du déjeuner, Jonah lui a montré un nouveau smartphone Excell. Il a dit que son père le lui avait acheté. Rodney a trouvé ça bizarre, parce qu'il n'a jamais un sou.

— Et le magasin a été cambriolé mardi soir, précisa Theo, qui en oubliait sa glace.

— C'est exact. Tu sais ce qui a été volé ?

— Ce qui était dans les journaux, c'est tout. Des ordinateurs et des téléphones portables, des tablettes, et quelques autres objets.

— Des smartphones Excell ?

— Je n'en ai aucune idée. La police ne publie pas ce genre d'informations.

— Et il y a mieux. Vendredi, ils étaient à la bibliothèque et Jonah étudiait dans une petite pièce au premier étage, près de la salle d'informatique. Il était penché sur sa table, comme s'il voulait cacher ce qu'il faisait. Rodney l'a vu et ça l'a intrigué. Il s'est glissé derrière lui et il a vu Jonah jouer à un jeu vidéo sur une tablette huit pouces.

— Comme la Linx 0-4.

— Exactement. Et Jonah ne pourrait jamais s'en acheter une.

Theo prit un peu de sa glace, mais elle n'avait plus de goût.

— Il faut qu'on mette la main sur cette tablette.

— Des idées ?

— Non, pas tout de suite. Tu penses que Rodney nous aiderait ?

— J'en doute. Ce n'est pas le genre à dénoncer un ami. Il aime bien Jonah. Il dit qu'il est bizarre, mais il a aussi de la peine pour lui. Je n'ai pas trop montré d'intérêt pour tout ça, parce que je ne voulais pas éveiller ses soupçons.

— C'est bien joué, April.

— Tu ne peux pas aller à la police et leur dire, tout simplement ?

— Peut-être, je ne sais pas. Il faut que j'y réfléchisse.

Ils discutèrent de plusieurs plans, mais aucun ne semblait applicable. En partant, Theo la remercia encore. April répondit qu'elle ferait tout ce qu'elle pourrait pour l'aider, légalement ou pas.

Theo s'apprêtait à rentrer chez lui quand, soudain, il changea de direction et alla voir Ike.

22.

Conformément aux instructions de Mrs. Gladwell, Theo se présenta à son bureau le lundi matin à 8 h 15 précises. Il s'assit en face d'elle. Elle parcourait un dossier, le visage fermé, comme si l'épisode de la bagarre l'agaçait encore.

— Tu as passé un bon week-end ? demanda-t-elle, de manière purement formelle.

— Euh... oui, je crois, dit Theo.

Il n'était pas là pour parler de son week-end, ils avaient d'autres affaires à régler. Theo avait passé un week-end plutôt minable, et il comprit soudain que sa vie ne retournerait pas à la normale tant qu'il ne serait pas blanchi. Il était toujours l'accusé, avec ce nuage noir au-dessus de la tête.

— Il nous faut changer le code de ton casier, dit Mrs. Gladwell.

C'était pour cela qu'elle avait voulu le voir tôt, avant le début des cours.

— Tu as un nouveau code ?

— Oui, madame. C'est *286228* (*Avocat*).

La principale le nota et vérifia les autres.

— Celui-là devrait aller.

— Madame Gladwell... je voudrais vous dire à quel point je suis désolé de ce qui s'est passé jeudi dernier, avec la bagarre, tout ça. J'ai enfreint le règlement et je vous présente mes excuses.

— J'attends de toi une meilleure conduite, Theo. Je suis vraiment déçue, et je veux qu'à l'avenir tu te tiennes à l'écart de ce genre d'histoires.

— Entendu.

Mrs. Gladwell esquissa enfin un léger sourire.

— Tu as parlé à la police ce week-end ?

— Non, madame.

— Ils ont fini leur enquête ?

— Je ne crois pas. À ma connaissance, ils n'ont pas trouvé la bonne personne.

— Ils te soupçonnent encore, Theo ?

— En tout cas, vendredi soir, j'étais leur principal suspect.

Mrs. Gladwell hocha la tête avec incrédulité.

Theo pensa au conseil d'Ike. Il se carra sur sa chaise et s'éclaircit la voix, l'air manifestement gêné.

— Madame Gladwell, si vous saviez qu'un élève de cinquième avait un téléphone portable ici, au collège, que feriez-vous ?

— Eh bien, j'en parlerais à son professeur principal, je lui demanderais d'aller voir l'élève et, si cela s'avérait exact, de le confisquer. La sanction est normalement d'une demi-journée d'exclusion, passée au collège. Pourquoi est-ce que tu me poses cette question, Theo ?

— Par simple curiosité.

— Non, pas par simple curiosité. Tu connais un élève de cinquième qui a un portable au collège, n'est-ce pas, Theo ?

— Peut-être.

Mrs. Gladwell regarda Theo un long moment, puis finit par comprendre.

— Ce téléphone pourrait-il être volé ? demanda-t-elle.

— Peut-être. Ce n'est pas sûr, mais peut-être.

— Je vois. Et ce téléphone pourrait-il avoir un lien avec le cambriolage de Big Mac la semaine dernière ?

— Peut-être. Je n'en suis pas sûr, et je n'accuse personne de vol, précisa Theo.

— Le cambriolage, c'est une chose, Theo, et ce n'est vraiment pas mon affaire. C'est la police qui s'en occupe. Mais la possession d'un téléphone portable par un élève de cinquième constitue une violation du règlement, chez moi. Réglons ça d'abord.

Theo observait la principale, sans mot dire.

Il y eut un long silence. Mrs. Gladwell attendait. Elle jeta enfin un coup d'œil à sa montre.

— D'accord. Si tu veux que je t'aide, donne-moi son nom. Sinon, nous sommes lundi matin et j'ai des milliers de choses à faire.

— J'ai l'impression d'être un rapporteur, dit Theo.

— D'abord, Theo, cet élève ne saura jamais que c'est toi qui m'en as parlé. Ensuite, et surtout, tu es le principal suspect d'un délit commis par un autre. À ta place, je ferais tout mon possible pour trouver le vrai coupable. Alors, maintenant, tu me donnes le nom ou tu vas en cours.

— Jonah Finn, répondit Theo, en jouant l'hésitation.

Ike lui avait dit qu'il n'avait pas le choix : il fallait livrer le coupable.

La cloche de 8 h 50 sonna, annonçant la première heure, et Mr. Krauthammer termina l'appel de sa classe de cinquième. Au moment où les élèves sortaient de la salle, le professeur s'avança vers Jonah Finn, lui posa la main sur l'épaule.

— Je peux te voir une minute ?

Une fois la salle vide, Mr. Krauthammer ferma la porte et demanda :

— Je ne t'ai pas vu avec un portable dans le hall, il y a dix minutes ?

Ce n'était pas le cas, mais cela faisait partie de la stratégie.

— Non, répondit sèchement Jonah — l'air tout à fait coupable.

— Qu'est-ce qu'il y a dans ta poche ? demanda Mr. Krauthammer.

Jonah en sortit un téléphone à contrecœur. Il le tendit à son professeur. Cela ne le dérangeait pas d'être exclu une demi-journée. Il avait connu pire. Mr. Krauthammer regarda l'appareil, un smartphone Excell7, et conclut :

— Très joli. Viens avec moi.

Après un bref entretien avec Mrs. Gladwell, Jonah fut conduit vers une petite salle d'études dans la bibliothèque où il resterait en retenue pendant quatre heures, sous le regard vigilant de Mrs. Dunleavy, la documentaliste. On posa les manuels de Jonah sur la table comme s'il devait s'acquitter de devoirs supplémentaires en guise de punition. Jonah, lui, posa la tête sur la table et s'endormit rapidement.

Mrs. Gladwell appela l'inspecteur Vorman et lui donna le numéro de série du téléphone.

Dans l'établissement de Jessie Finn, la deuxième heure se terminait à 10 h 30 ; elle était suivie d'une récréation de vingt minutes. Tony Lambert, le frère de Woody, suivit Jessie Finn de loin et le vit sortir du bâtiment principal pour pénétrer dans une grande cour où de nombreux élèves passaient leur pause. Jessie s'assit à une table de pique-nique, à l'écart. Il allait consulter son téléphone quand Tony surgit de nulle part.

— Hé, paraît que t'as des tablettes 0-4 à vendre à un bon prix, dit Tony, en jetant des coups d'œil aux alentours comme s'il achetait de la drogue.

Jessie le gratifia d'un regard soupçonneux.

— T'es qui ?

— Tony Lambert, en seconde, répondit l'autre en lui tendant la main.

Jessie la serra à contrecœur et demanda :

— Ah, ouais, et où t'as entendu ça ?

— L'info circule. Combien t'en veux ?

— Pour quoi ?

— Pour une O-4. J'ai cinquante.

— Qui t'a dit que je vendais des trucs ?

— Allez, Jessie, ça se sait. Il me la faut vraiment, cette tablette.

— J'ai rien, mec. Je l'ai déjà vendue.

— Tu peux pas en avoir une autre ?

— Peut-être, mais les prix ont monté. C'est soixante-quinze.

— Je peux les trouver. Tu pourras avoir la tablette quand ?

— Ici, demain. Même heure, même endroit.

— Marché conclu.

Ils se serrèrent la main et Tony s'en alla. Il pénétra dans le bâtiment principal et envoya un SMS à Woody. *Pas de vente, demain peut-être.*

Theo passa un lundi matin sans histoire. Pendant l'appel, Mr. Mount leur souhaita longuement un bon retour en classe, à lui et à Woody. Il y eut quelques commentaires spirituels de leurs camarades. La plupart, cependant, semblaient fiers de leurs deux copains qui n'avaient pas eu peur de se défendre. Ensuite, en espagnol, Mme Monique voulut savoir comment il allait ; elle paraissait un peu trop inquiète pour lui. Theo esquiva la question en répondant que tout allait bien. En géométrie, Mrs. Garman fit comme si rien ne s'était passé, ce qui convenait très bien à Theo. Pendant la récréation du matin, April informa Theo de ce que lui avait dit Rodney : Jonah Finn avait assisté à l'appel, mais il avait disparu ensuite. Rodney ignorait où il était.

Tandis que Jonah faisait la sieste en bibliothèque, l'inspecteur Vorman arrivait au collège, où il alla trouver Mrs. Gladwell. Ils se dirigèrent discrètement vers les casiers des cinquième, non loin de celui de Theo, et tapèrent le code de Jonah. À l'intérieur, ils trouvèrent l'assortiment habituel de manuels, cahiers, fournitures et débris divers. Cachés à l'intérieur d'un classeur se trouvaient deux tablettes Linx 0-4 flambant neuves. Ils les rapportèrent au bureau. L'inspecteur Vorman mit des gants en caoutchouc pour les manipuler, puis il nota les numéros de série. Ils retournèrent ensuite au casier de Jonah pour redéposer soigneusement les tablettes dans le classeur.

L'inspecteur Vorman remercia Mrs. Gladwell, quitta le collège pour se rendre au commissariat, où il compara les numéros de série avec la liste de Big Mac. Sans surprise, ils correspondaient. Vorman en parla à Hamilton, et ils décidèrent de demander un mandat de perquisition pour le domicile des Finn. Vorman remplit la déclaration sous serment, en indiquant les détails. Il ajouta également que le frère de la personne concernée, Jessie Finn, aurait « tenté » de vendre une tablette Linx 0-4 à un camarade la semaine précédente. Une fois la déclaration complétée et signée, Vorman prépara un mandat de perquisition de deux pages où il décrivait la zone qu'il désirait fouiller : la maison des Finn et ses dépendances. Il se dirigea ensuite vers le tribunal, à quatre rues de là, pour déposer les formulaires au secrétaire du juge Daniel Showalter, à la première chambre du tribunal pour mineurs. Le secrétaire l'informa que le juge était en pleine audience, et qu'il pourrait s'écouler deux heures avant qu'il n'examine la déclaration et le mandat.

L'inspecteur Vorman retourna à son bureau, sûr d'avoir encore résolu une affaire, même si elle était plutôt mineure. Il aurait préféré passer son temps à pourchasser les dealers et autres criminels.

23.

L undi à 15 h 15, l'inspecteur Vorman arriva au collège et se rendit au bureau de Mrs. Gladwell. Il attendit qu'elle aille chercher Jonah Finn en étude. Jonah, qui avait déjà subi une demi-journée d'exclusion, le suivit en marmonnant :

— Qu'est-ce qui se passe encore ?

— Viens avec moi, c'est tout, dit-elle en l'emmenant dans son bureau.

Ils attendirent à l'accueil, près de Miss Gloria, tandis que la sonnerie annonçait la fin de la journée et que les élèves sortaient en courant. Pendant ce branle-bas, Jonah et Mrs. Gladwell entrèrent dans le bureau de la principale, et elle ferma la porte. Vorman se leva, sortit son insigne et demanda :

— Tu es Jonah Finn ?

— Oui, répondit Jonah en jetant un regard implorant à Mrs. Gladwell.

— Assieds-toi, dit Vorman. J'aimerais te poser quelques questions.

— Il y a un problème ?

— Peut-être.

Jonah s'assit, son sac sur les genoux. Il avait visiblement peur, et se demandait quoi dire ou quoi faire.

Vorman s'assit sur le bord du bureau, dominant Jonah de toute sa hauteur. Ce n'était pas un combat égal. Un flic dur en costume sombre, qui foudroyait du regard un gamin maigrichon et effrayé, avec des cheveux tombant sur les yeux. Vorman savait exactement où il voulait en venir ; Jonah n'en était pas si sûr.

L'inspecteur commença :

— Nous enquêtons sur un cambriolage qui a eu lieu la semaine dernière dans un magasin d'informatique en ville, chez Big Mac, et j'aurais juste quelques questions à te poser. La routine. C'est tout.

Jonah faillit pousser un cri de stupeur. Il baissa la tête et contempla le sol, bouche bée. Vorman n'avait jamais vu un air aussi coupable.

— Ce téléphone avec lequel tu t'es fait prendre ce matin, tu l'as trouvé où ?

— Euh, je l'ai acheté.

Vorman ouvrit son calepin et demanda :

— D'accord. À qui ?

— Euh... un type qui s'appelle Randy.

— Combien tu l'as payé ?

— Euh... cinquante dollars.

— Le téléphone a été volé chez Big Mac. Tu savais qu'il était volé quand tu l'as acheté ?

— Non, monsieur, je vous jure.

— C'est quoi, le nom de famille de Randy ?

— Euh... je sais pas trop.

— Tu sais où il habite ? Où je peux le trouver, pour lui parler ?

— Non, monsieur.

— D'accord. Donc, ce mystérieux Randy a surgi de nulle part et t'a proposé un smartphone dernier cri pour cinquante dollars, alors qu'il en vaut trois cents, et tu n'as pas pensé qu'il pouvait être volé ?

— Non, monsieur.

— Pas très malin de ta part, non ?

— Euh... non.

— Tu ne serais pas en train de me mentir ?

— Non, monsieur.

— Si tu mens, Jonah, ça ne fera qu'aggraver les choses... beaucoup.

— Je ne mens pas.

— Je crois que si.

Jonah secoua la tête. Ses mèches lui tombèrent sur les yeux.

Vorman avait passé des années à questionner des durs, des hommes capables de débiter d'énormes mensonges d'un air sincère. Ce gamin n'avait aucune crédibilité.

— Le voleur ou les voleurs qui ont cambriolé Big Mac ont également pris des tablettes et des ordinateurs portables. Randy t'a proposé de te vendre une tablette ou un ordinateur neuf ?

— Non, monsieur.

— Tu as déjà vu une tablette Linx 0-4 ?

— Non, répondit Jonah, le regard toujours rivé au sol.

— Tu sais que le collège a le droit de fouiller ton sac et ton casier, dit Vorman, prêt au coup de grâce. Tu le comprends ?

— Euh... oui.

— Bon. On va regarder dans ton sac.

— Qu'est-ce que vous cherchez ? demanda Jonah.

— D'autres objets volés.

Vorman saisit le sac. Jonah s'y accrocha une seconde, puis le lâcha. Vorman le posa sur le bureau de Mrs. Gladwell et l'ouvrit lentement. Il en sortit des manuels, des cahiers, un magazine de jeux vidéo, puis une tablette. Une Linx 0-4. Il l'examina puis dit :

— Jonah, tu m'as menti. D'où est-ce qu'elle vient ?

Jonah se prit la tête entre les mains, l'air abattu. Vorman insista :

— Jonah, où est-ce que tu l'as eue ? C'est ton frère qui te l'a donnée ?

Pas de réponse.

— D'accord, on va jeter un œil dans ton casier.

Au même moment, à un kilomètre de là, l'inspecteur Hamilton arrivait à l'établissement de Jessie et se présentait. Ils se trouvaient dans le bureau du proviseur, quelques minutes après la sonnerie de fin des cours. Le sac de Jessie était posé sur le bureau, fermé.

— J'aimerais te poser quelques questions, commença Hamilton avec un sourire amical.

Le proviseur, Mr. Trussel, était assis à son bureau.

— Sur quoi ? grogna Jessie.

Il était passé une fois devant le tribunal pour mineurs et il n'aimait ni les policiers, ni les juges, ni même les avocats, d'ailleurs.

— Tu as un frère qui s'appelle Jonah ?

— Facile, comme question.

— Réponds, alors.

— Oui.

— Il me semblait bien. Nous tenons Jonah. Nous l'avons pris avec un smartphone Excell7 et trois Linx 0-4 volés. Sur ces trois tablettes, l'une était dans son sac, les deux autres dans son casier, même pas déballées. Tu as une idée d'où il les a trouvées ?

Jessie tressaillit, même s'il semblait indifférent. Il était devenu tout pâle.

— Non...

— Je ne pensais pas, non, reprit Hamilton. Nous avons vérifié les numéros de série et nous savons d'où elles viennent. Et toi, Jessie ?

— Non.

— Eh bien, Jessie, en ce moment, ton petit frère est mort de peur. Il parle et parle, et il dit que c'était ton idée de cambrioler Big Mac, que lui ne voulait pas, mais que tu l'as forcé parce qu'il lui fallait de l'aide pour emporter tous les ordi-nateurs, les téléphones et les tablettes. Qu'est-ce que tu en penses, Jessie ? Ce n'est pas un gros dur, ton frère, non ? Enfin, c'est ton frère et il a commencé à te balancer avant même qu'on lui passe les menottes.

— Les menottes ? répéta Jessie d'une voix enrouée.

— Ouais, et j'en ai aussi pour toi. Dans deux minutes. Ton petit frère dit que vous êtes entrés dans le magasin par une fenêtre arrière mardi soir dernier, et que vous avez pris une dizaine de téléphones, six ordinateurs quinze pouces et dix tablettes Linx O-4. Il dit que vous êtes restés moins de cinq minutes sur place parce que vous aviez déjà fait vos repérages et que vous saviez où étaient les trucs, et puis vous saviez comment éviter les caméras. Ça te dit quelque chose, Jessie ?

— Je ne sais pas de quoi vous parlez.

— Oh, moi, je crois que si. Je peux regarder dans ton sac ?

— Allez-y, dit Jessie en poussant ses affaires vers le policier.

Hamilton ouvrit le sac et en sortit des livres, des cahiers, une bouteille d'eau, deux magazines, rien qui semblait volé. Hamilton fourra le tout dans le sac d'un air détaché.

— On va regarder dans ton casier, alors.

— Impossible, dit Jessie.

— Ah oui, vraiment ? Pourquoi ?

— C'est une violation de ma vie privée.

— Pas si vite, Jessie, dit Mr. Trussel en montrant un papier. Voici un bail de location de casier que tu as signé pour l'année scolaire. Nous n'exigeons pas de nos élèves qu'ils en prennent un, mais lorsqu'ils décident de le faire, ils doivent signer ce document. Il dit clairement que tu dois te soumettre à une fouille de ton casier si le lycée ou la police te le demande.

— Allons-y, dit l'inspecteur Hamilton.

Au collège, l'inspecteur Vorman et Mrs. Gladwell revinrent au bureau avec Jonah, qui semblait au bord des larmes. Sur la table de la principale se trouvaient les deux mêmes tablettes qu'ils avaient prises dans le casier de Jonah un peu plus tôt.

— Nous interrogeons ton frère, et il dit que c'était ton idée de mettre les trois tablettes Linx dans le casier de Theodore Boone. Il dit aussi que tu es entré dans le système informatique du collège, que tu as trouvé le code et déposé les tablettes mercredi dernier, au matin – pour faire accuser Theo. Vrai ou faux ?

— Jessie a dit ça ?

— Oh, oui, et bien d'autres choses aussi. En ce moment même, il est assis dans une petite salle, menotté, et il raconte toute son histoire. C'est assez triste, à mon avis, de balancer comme ça son petit frère, mais c'est ce qui arrive quand on fait des bêtises avec un complice.

— Je n'y crois pas.

— Je me moque de ce que tu crois, petit. Tu n'imagines même pas les ennuis que tu vas avoir.

Cambriolage avec effraction. Vol qualifié. Vandalisme. Le tout en réunion. Ton frère dit même
que tu as crevé les pneus de Theo et jeté une
pierre dans ses vitres.

— Non ! Ça, c'est lui qui l'a fait ! lâcha Jonah
avant de se taire subitement.

Il regarda fixement l'inspecteur qui se contenta
de sourire. Dans le feu de l'action, Jonah avait fait
un aveu essentiel. Vorman et Mrs. Gladwell échangèrent un regard entendu. Le mystère était résolu.

*

Le contenu du casier de Jessie était empilé
par terre, dans le hall. L'inspecteur Hamilton,
avec des gants de chirurgien, préleva avec déli-
catesse les deux objets du dessus : des tablettes
Linx 0-4.

— Ça alors, je me demande d'où elles viennent,
dit-il en souriant. Jonah a dit qu'on les trouverait
sans doute ici. Laisse-moi deviner, Jessie : tu ne
sais absolument pas comment ces beaux objets
tout neufs sont arrivés dans ton casier ?

Jessie ne répondit rien.

Ils entrèrent dans une salle de classe vide et
Mr. Trussel ferma la porte.

— Assieds-toi, aboya Hamilton à Jessie.

L'autre obéit. Toute combativité avait disparu.

— Ce que je veux, maintenant, dit Hamilton
en se plantant devant Jessie comme s'il allait le
gifler, c'est le reste du butin. Où il est ?

— Je ne sais pas de quoi vous parlez, gémit Jessie, qui se cramponnait à sa table.

Hamilton sortit des feuilles de sa poche.

— T'es vraiment un malin, hein, Jessie ? Alors, dis-moi, c'est quoi un mandat de perquisition ? Non ? Tu ne sais pas ? Peut-être que tu n'es pas si malin que ça, après tout.

Jessie secoua la tête.

— Un mandat de perquisition, ça permet à la police de fouiller dans ta maison, de chercher dans toutes les pièces, tous les tiroirs, placards, armoires, boîtes, sacs, tous les tas de vieux trucs dans ton grenier, tous les vieux meubles dans le garage. Ça nous permet de retourner la maison de fond en comble à la recherche du reste du butin que toi et ton petit frère, vous avez volé à Big Mac.

Hamilton lâcha le mandat sur la table. Il atterrit sur le bras de Jessie, qui ne fit pas mine de le lire.

— Ta mère est chez elle, Jessie ? demanda Hamilton.

— Elle dort. Elle travaille de nuit à l'hôpital.

— On va la réveiller, alors.

24.

Ce lundi à 17 heures, Linda Finn dormait à poings fermés dans sa chambre du rez-de-chaussée quand un coup de sonnette la réveilla en sursaut. Elle n'arrivait jamais à dormir assez. Elle travaillait de 20 heures à 8 heures du matin quatre jours par semaine, et parfois le week-end en heures supplémentaires. Cet emploi du temps décalé perturbait ses rythmes de sommeil, et elle était tout le temps fatiguée. De plus, au lieu de dormir, elle restait souvent éveillée à s'inquiéter de son divorce pénible, de son voyou de mari avec son avocat coriace, de ses deux garçons et du mauvais chemin qu'ils semblaient prendre. Linda avait bien des sujets d'inquiétude.

On sonnait sans interruption. Elle passa donc un vieux peignoir et alla ouvrir, pieds nus. Elle se retrouva face à face avec l'inspecteur Vorman, accompagné de Jonah et, derrière eux, deux agents en uniforme. Dans la rue, deux voitures de police, avec les gyrophares et les décorations habituelles.

Une voiture banalisée stationnait dans l'allée. Linda Finn faillit s'évanouir.

Elle parvint à demander :

— Qu'est-ce qui se passe ?

— Inspecteur Scott Vorman de la police de Strattenburg, dit le policier en montrant son insigne. Je peux entrer ?

— Qu'est-ce qui se passe, Jonah ? demanda sa mère, horrifiée.

Jonah regardait ses chaussures.

— Il faut qu'on parle, dit Vorman en ouvrant la porte.

Linda Finn recula, en serrant son peignoir. Vorman suivit Jonah à l'intérieur et referma derrière eux. Dans l'allée, l'inspecteur Hamilton était assis dans la voiture, Jessie à côté de lui.

— On va entrer ? demanda Jessie.

— Peut-être, répondit Hamilton.

Les deux agents en uniforme traînaient devant la maison, fumant leurs cigarettes. En face, depuis le seuil, quelques voisins observaient la scène avec curiosité.

Vorman s'assit sur une vieille chaise mal rembourrée. Linda et Jonah s'installèrent dans un canapé aux coussins fatigués.

— Je vais aller droit au but, madame Finn. Mardi soir, un magasin d'informatique du centre-ville a été cambriolé. Les voleurs ont emporté des ordinateurs et des téléphones portables, ainsi que des tablettes. Il y en a pour environ vingt mille dollars. Nos principaux suspects sont Jonah et Jessie.

Mrs. Finn sursauta et fusilla Jonah du regard. Celui-ci était toujours aussi fasciné par ses chaussures.

— Nous avons fouillé leurs casiers et leurs sacs, poursuivit Vorman, et, pour l'instant, nous avons récupéré cinq des tablettes et un téléphone portable. Nous pensons que le reste du butin pourrait être caché quelque part dans cette maison, donc nous avons un mandat de perquisition signé par un juge, qui nous permet de fouiller partout.

— Partout ? s'étrangla Linda.

Elle pensa aussitôt aux piles d'assiettes sales dans l'évier de la cuisine, aux tas de linge malpropre dans la cave, aux lits défaits, aux étagères et aux meubles poussiéreux, aux salles de bains dégoûtantes, à la poubelle dans le couloir, aux verres et tasses encore à moitié pleins dans le salon, et cela rien qu'au rez-de-chaussée. Elle n'osait même pas monter au premier, là où vivaient les garçons. C'était pire qu'une décharge.

— Exact, répondit Vorman en lui tendant le mandat.

Elle se contenta de le regarder bouche bée, incrédule.

— Toutes les pièces, tous les placards, tous les tiroirs, ajouta Vorman pour accroître encore la pression.

Il savait qu'aucune femme ne voulait voir la police – ou n'importe qui, d'ailleurs – fouiller sa maison.

— C'est vrai, Jonah ? demanda-t-elle, au bord des larmes.

Jonah restait obstinément muet.

— Oui, c'est vrai, dit Vorman. Jessie a pratiquement tout avoué, mais il ne veut pas nous dire où se trouve le reste des objets volés. Nous n'avons pas d'autre choix que de mettre la maison sens dessus dessous pour retrouver le butin.

— Il est ici, Jonah ? demanda Mrs. Finn.

Il la regarda d'un air coupable.

— À ce stade, il est important que vous coopériez, dit Vorman d'un air aimable. Le juge en tiendra compte.

— Si le butin est là, dis-leur où, lança Mrs. Finn à son fils. C'est absurde que la police fouille cette maison.

Après un long silence, Vorman reprit :

— Écoutez, je n'ai pas tout l'après-midi et toute la soirée. Je vais appeler des collègues et nous allons commencer par les chambres des garçons.

— Dis-le-moi, Jonah ! gronda Mrs. Finn.

Jonah se mordit les lèvres, mais finit par lâcher :

— Dans le faux plafond, au-dessus du garage.

Assis dans la voiture banalisée, Jessie regardait avec horreur les policiers sortir du garage, les bras chargés d'ordinateurs, de tablettes et de téléphones.

— Eh bien, ils ont tout trouvé, je crois, commenta Hamilton. Ne bouge pas.

Il sortit de la voiture pour jeter un œil. Jessie essuya une larme.

Linda Finn s'habilla en vitesse et suivit la police en ville. Jessie se trouvait dans la voiture de devant. Jonah était avec l'inspecteur Vorman, dans un autre véhicule. Mrs. Finn pleura tout le long du trajet, en se demandant comment cela avait pu arriver. Quelle erreur avait-elle commise dans l'éducation de ses enfants ? Que ferait-on d'eux ? Quel effet cela aurait-il sur le divorce et sa bataille pour obtenir la garde de Jonah et Jessie ? Et si on les enfermait, qu'adviendrait-il du droit de garde ? D'innombrables questions tourbillonnaient dans son esprit tandis que leur petite caravane parcourait les rues de Strattenburg.

Une fois au commissariat, ils furent réunis dans une petite pièce au sous-sol. Pour la première fois depuis le matin, Jonah et Jessie se retrouvèrent face à face. On aurait dit que Jessie allait frapper son petit frère. Et Jonah se disait que son grand frère était une sale balance. Mais ils devaient se taire.

L'inspecteur Hamilton prit la parole :

— Les coupables sont connus et vous allez avoir de gros ennuis, les gars, je ne vous le cache pas. Vous ne rentrerez pas chez vous ce soir, et peut-être pas pendant un bon moment.

Linda se remit à pleurer. Elle réussit tout de même à demander :

— Où les emmenez-vous ?

— Il y a un centre de détention pour mineurs au bout de la rue. Ils comparaîtront au tribunal après-demain, et le juge décidera quoi faire d'eux.

Il y aura une audience officielle dans un mois environ. Des questions ?

Il y en avait des milliers, mais personne ne dit mot.

— Je vais demander à l'inspecteur Vorman de vous lire vos droits. Écoutez attentivement, dit Hamilton.

Vorman tendit une feuille à chaque garçon.

— Ce sont les mêmes. Numéro un : Vous avez le droit de garder le silence. Numéro deux : Tout ce que vous direz pourra être retenu contre vous au tribunal. Numéro trois : Vous avez droit à un avocat et, si vous ne pouvez pas vous en payer un, le tribunal vous en fournira un.

— Exactement comme à la télé, commenta Jessie le petit malin.

— T'as tout compris, dit Vorman. Des questions... Très bien, signez ces papiers en bas. Madame Finn, en tant que mère, vous signez en dessous.

Les Finn obéirent à contrecœur. Vorman ramassa les papiers. Hamilton se tourna vers Jonah et Jessie.

— J'ai déjà fait ça des milliers de fois, et je peux vous garantir que le plus important pour vous dans l'immédiat, c'est de coopérer. Vous êtes coupables. Nous savons que vous l'êtes. Nous pouvons le prouver. Donc, n'allez accuser personne d'autre. Le juge, celui qui décide si vous serez envoyés en centre de détention et pendant combien de temps, me demandera si vous avez coopéré. Si je dis oui, ça lui plaira. Si je dis non, ça ne lui plaira pas. Compris ?

— Je veux un avocat, dit Jessie.

— On va t'en trouver un, sans problème, répliqua Hamilton. Scott, amène-le en prison.

Vorman se leva d'un bond, prit une paire de menottes à sa ceinture, saisit Jessie par le cou, l'obligea à se lever et le menotta, mains dans le dos. Il ouvrit la porte – et il s'apprêtait à partir quand Linda donna un grand coup sur la table.

— Attendez ! Je veux la vérité ! Je veux que vous me disiez la vérité, tous les deux. Assieds-toi, Jessie. Assieds-toi et dis-moi ce qui s'est passé.

Vorman lâcha Jessie, encore stupéfait de la vitesse à laquelle il s'était retrouvé menotté. Il s'assit sur le rebord de sa chaise, les mains dans le dos.

Tout le monde prit une profonde inspiration – et Jonah dit enfin :

— On l'a fait parce qu'on avait besoin d'argent.

25.

Theo était plongé dans ses devoirs quand la voix de son père résonna dans l'interphone :

— Hé, Theo ?

— Oui, papa ?

— Tu veux bien passer à la salle de réunion ?

— Bien sûr.

Ses deux parents s'y trouvaient, et sa mère avait pleuré.

— Qu'est-ce qui se passe ? demanda Theo.

— Nous avons de bonnes nouvelles, dit Mr. Boone.

— Alors pourquoi est-ce qu'elle pleure, maman ?

— Je ne pleure pas, Theo. Plus maintenant.

— Je viens de parler à l'inspecteur Vorman, dit Mr. Boone. Ils ont arrêté deux garçons, Jonah et Jessie Finn, pour le cambriolage chez Big Mac. La police a retrouvé la plupart des objets volés chez eux.

— Leur mère est ma cliente, Theo, soupira Mrs. Boone.

« Sans blague ! » pensa Theo, qui ne fit aucun commentaire.

— Les garçons ont tout avoué, continua Mr. Boone, y compris leur petite opération pour te terroriser. Apparemment, ils t'en voulaient beaucoup à cause du divorce.

— Je suis tellement désolée, Theo, dit Mrs. Boone. J'aurais dû m'en rendre compte.

Theo sourit et pensa à Ike. Son oncle fou avait résolu le mystère bien avant tout le monde.

— C'est génial, dit Theo. Les pneus crevés, la vitre cassée, les trucs sur Internet, tout ?

— Tout, dit son père. La vérité a commencé à surgir quand quelqu'un a signalé que le plus jeune, en cinquième, avait un téléphone portable dans sa poche. Comme tu sais, c'est interdit au collège, et on s'est aperçu que le smartphone avait été volé dans le magasin. On a remonté la piste, on a trouvé d'autres objets volés dans leurs casiers, et puis la police a obtenu un mandat de perquisition.

Theo avait l'impression que son père lisait des secrets qu'il avait lui-même écrits. Il sourit avec sincérité, ravi que ce petit cauchemar soit terminé.

— Qu'est-ce qui va leur arriver ? demanda-t-il.

— Ce sera au tribunal des mineurs d'en décider, répondit Mrs. Boone. L'aîné, Jessie, a un casier, et je pense qu'on l'enverra dans un centre. Jonah s'en tirera sans doute avec une mise à l'épreuve.

— Et quel effet cela aura sur toi et ta cliente, leur mère ? demanda Theo.

— Je ne peux plus la représenter, Theo. Je me retirerai demain. Ses garçons s'en sont pris à toi à cause de moi, et j'aurais dû y penser. Je suis désolée.

— Enfin, maman, tu ne pouvais pas le savoir.

— C'est nécessaire, Theo, intervint Mr. Boone. Il est possible qu'on doive témoigner au tribunal sur ce qu'ont fait ces deux-là. Ta mère ne peut pas représenter Mrs. Finn alors qu'elle risque d'avoir à témoigner contre ses fils. Je sais que c'est gênant, mais il n'y a pas d'autre choix.

Theo haussa les épaules, secrètement ravi que tous les Finn disparaissent du cabinet Boone & Boone.

Il était aux anges, ses parents soulagés. Même Juge semblait plus heureux.

— C'est lundi, dit Theo. Je file voir Ike.

*

Bob Dylan passait en sourdine sur la stéréo. Ike fumait la pipe. Un nuage de fumée bleue flottait au plafond. Theo avait envoyé à Ike une dizaine de SMS au fil de la journée, pour le tenir au courant. Le dernier disait : *Finn arrêtés. Aveux complets. Youpie.*

— Félicitations, Ike, dit Theo en posant les cinquante dollars sur l'incroyable désordre du bureau. Tu as réussi.

Ike sourit – ce n'était pas le moment de jouer les modestes.

— Que dire ? Je suis un génie.

— Merveilleux, Ike. Vraiment.

— Comment va Marcella ?

— Pas trop bien. Elle s'en veut.

— Elle aurait dû y penser, Theo. Marcella est trop intelligente pour ne pas avoir soupçonné l'un de ses clients.

— Ne lui en veux pas, Ike. Elle s'en veut déjà bien assez.

— D'accord, mais si moi j'y ai pensé, elle aussi aurait pu.

— Entendu. Et... on va lui dire, qu'on a fouillé dans ses dossiers ?

Ike posa les pieds sur son bureau, renversant quelques dossiers.

— Tu sais, Theo, j'y ai réfléchi. Ce n'est pas le moment de lui avouer.

— Quand, alors ?

— Je ne sais pas. Laissons passer un peu de temps. Tout le monde est sur les nerfs. Tes parents étaient malades d'inquiétude. On va laisser la pression retomber, et puis on en rediscutera, toi et moi.

— Je me sentirais mieux si je disais tout à mes parents.

— Peut-être que oui, et peut-être que non. Écoute, Theo, l'honnêteté est une grande qualité. Il faut toujours s'efforcer d'être honnête et sincère. Imagine que ta mère te demande ce soir si tu lui as volé son mot de passe pour me le donner et accéder à ses dossiers : tu devrais répondre oui. Ce serait honnête, en effet. D'accord ?

— D'accord.

— Mais elle n'est pas au courant, et elle ne le sera peut-être jamais. Donc, est-ce que c'est malhonnête de ne pas lui en parler ?

— Je me sens malhonnête.

— Tu as treize ans. Est-ce que tu as dit à ta mère toutes les bêtises que tu as faites sans te faire prendre ?

— Non.

— Bien sûr que non. Personne ne le fait, Theo. Nous avons tous nos petits secrets, et tant qu'ils sont inoffensifs, qui s'en soucie ? Avec le temps, les secrets disparaissent souvent et n'ont plus d'importance.

— Et si quelqu'un vérifie dans InfoBrief et s'aperçoit que les dossiers ont été consultés depuis l'extérieur ?

— Si on te pose la question, dis la vérité. Et alors, j'interviendrai, je dirai la vérité moi aussi, et j'endosserai toute la responsabilité.

— Ça ne peut pas être toi le responsable, Ike, parce que c'est moi qui ai volé le mot de passe.

— Étant donné les circonstances, c'était la chose à faire. Je discuterai avec tes parents et j'expliquerai que c'est moi qui ai insisté pour consulter les dossiers. On se disputera et tout, mais ça fait longtemps qu'on le fait. Parfois, il faut savoir lutter, Theo, tu t'en souviens ?

— Oui, mais je me sens quand même mal.

— Voilà ce que je te propose, Theo : on n'en parle plus pendant un mois entier. Je l'écris. Dans un mois jour pour jour, nous en reparlerons.

Theo y réfléchit un moment, puis accepta à contrecœur. Il savait pourtant qu'il n'était pas d'accord, et que cette histoire le tracasserait jusqu'à ce qu'il ait tout raconté à sa mère.

— Maman dit que tu es invité à dîner ce soir, chez Robilio.

— Dis-lui que je la remercie.

— Il faut que j'y aille. Je ne sais pas quoi dire, Ike. Tu es le meilleur.

— Pas le meilleur, mais l'un des cinq meilleurs, peut-être...

Theo dévala l'escalier, sauta sur son vélo et fila vers le cabinet Boone & Boone, pédalant furieusement. Tout semblait plus léger – l'air, son humeur, son vélo.

Theodore Boone n'était plus l'accusé.

LA SÉRIE THEODORE BOONE

Theodore Boone, Enfant et justicier, Oh ! Éditions/XO Éditions, 2010, et Pocket.
Theodore Boone, L'Enlèvement, Oh ! Éditions/XO Éditions, 2011, et Pocket.
Theodore Boone, Coupable ?, XO Éditions, 2012.

DU MÊME AUTEUR

Droit de tuer ? Non coupable, Robert Laffont, 1996, et Pocket.
L'Idéaliste, Robert Laffont, 1997, et Pocket.
L'Héritage de la haine, Robert Laffont, 1997, et Pocket.
Le Client, Robert Laffont, 1997, et Pocket.
Le Maître du jeu, Robert Laffont, 1998, et Pocket.
La Loi du plus faible, Robert Laffont, 1999, et Pocket.
L'Associé, Robert Laffont, 1999, et Pocket.
Le Testament, Robert Laffont, 2000, et Pocket.
L'Engrenage, Robert Laffont, 2001, et Pocket.
Pas de Noël cette année, Robert Laffont, 2002, et Pocket.
La Dernière Récolte, Robert Laffont, 2002, et Pocket.
L'Affaire Pélican, Robert Laffont, 2002, et Pocket.
L'Héritage, Robert Laffont, 2003, et Pocket.
La Firme, Robert Laffont, 2003, et Pocket.
Le Couloir de la mort, Pocket, 2004.
La Transaction, Robert Laffont, 2004, et Pocket.
Le Dernier Juré, Robert Laffont, 2005, et Pocket.
Le Clandestin, Robert Laffont, 2006, et Pocket.
Le Dernier Match, Robert Laffont, 2006, et Pocket.
L'Accusé, Robert Laffont, 2007, et Pocket.
Le Contrat, Robert Laffont, 2008, et Pocket.
La Revanche, Robert Laffont, 2008, et Pocket.
L'Infiltré, Robert Laffont, 2009, et Pocket.
Chroniques de Ford County, Robert Laffont, 2010, et Pocket.
Non coupable, Pocket, 2011.
La Confession, Robert Laffont, 2011, et Pocket.
Les Partenaires, Robert Laffont, 2012.

Composé par Nord Compo Multimédia
7, rue de Fives, 59650 Villeneuve-d'Ascq

N° d'édition : 2298/01
Dépôt légal : novembre 2012

Imprimé au Canada

Marquis imprimeur inc.

Québec, Canada
2012